Lectures d'auteurs

45 textes littéraires annotés
avec exercices

Couverture : Studio Bizart – bizart.design@wanadoo.fr

Achevé d'imprimer par Grapho 12
12200 Villefranche de Rouergue
N° 2009060210
Imprimé en France
Dépôt légal : juillet 2009

© Presses universitaires de Grenoble, 2005
BP 47 – 38040 GRENOBLE CEDEX
Tél. 04 76 82 56 52 – Fax 04 76 82 78 35
pug@pug.fr / www.pug.fr

ISBN 978-2-7061-1563-9

Marie Barthe, Bernadette Chovelon

Lectures d'auteurs

45 textes littéraires annotés
avec exercices

Presses universitaires de Grenoble

MÉTHODES

Je lis, j'écris le français
Méthode d'alphabétisation pour adultes
M. Barthe, B. Chovelon, 2004
Livre de l'élève – Cahier d'autonomie

Je parle, je pratique le français
Post-alphabétisation pour adultes
M. Barthe, B. Chovelon, 2005
Livre de l'élève – Cahier d'autonomie

À propos A1
C. Andant, C. Metton, A. Nachon, F. Nugue, 2009
Livre de l'élève (CD inclus) – Guide pédagogique –
Cahier d'exercices (CD inclus)

À propos B1-B2
C. Andant, M.-L. Chalaron, 2005
Livre de l'élève – Livre du professeur –
Cahier d'exercices – Coffret 2 CD audio

GRAMMAIRE ET STYLE

Présent, passé, futur
D. Abry, M.-L. Chalaron, J. Van Eibergen
Manuel avec corrigés des exercices, 1987

La grammaire autrement
M.-L. Chalaron, R. Rœsch
Manuel avec corrigés des exercices, 1984

La grammaire des premiers temps
Volume 1 : niveaux A1-A2, 2000
Volume 2 : niveaux A2-B1, 2003
D. Abry, M.-L. Chalaron
Manuel – Corrigés des exercices avec
la transcription des enregistrements du CD – CD

L'Exercisier (2de éd.). *Manuel d'expression française*
C. Descotes-Genon, M.-H. Morsel, C. Richou, 2006
Manuel – Corrigés des exercices

L'expression française écrite et orale
Ch. Abbadie, B. Chovelon, M.-H. Morsel, 2003
Manuel – Corrigés des exercices

Expression et style
M. Barthe, B. Chovelon, 2002
Manuel – Corrigés des exercices

VOCABULAIRE ET EXPRESSION

Livres ouverts
M.-H. Estéoule-Exel, S. Regnat Ravier, 2008
Livre de l'élève – Guide pédagogique

Dites-moi un peu – Méthode pratique de français oral
K. Ulm, A.-M. Hingue, 2005
Manuel – Guide pédagogique

Émotions-Sentiments
C. Cavalla, E. Crozier, 2005
Livre de l'élève (CD inclus) – Corrigés des exercices

Le français par les textes
I : niveaux A2-B1, 2003
II : niveaux B1-B2, 2003
Corrigés des exercices I, 2006
Corrigés des exercices II, 2006
M. Barthe, B. Chovelon, A.-M. Philogone

Lectures d'auteurs
M. Barthe, B. Chovelon, 2005
Manuel – Corrigés des exercices

Le chemin des mots
D. Dumarest, M.-H. Morsel, 2004
Manuel – Corrigés des exercices

CIVILISATION

La France au quotidien (3e éd.)
R. Rœsch, R. Rolle-Harold, 2008
Manuel – Coffret 2 CD audio

Écouter et comprendre la France au quotidien (CD inclus)
R. Rœsch, R. Rolle-Harold, 2009

La France des régions
R. Bourgeois, S. Eurin, 2001

La France des institutions
R. Bourgeois, P. Terrone, 2004

FRANÇAIS SUR OBJECTIF SPÉCIFIQUE

Le français des médecins. 40 vidéos
pour communiquer à l'hôpital (DVD-ROM inclus)
T. Fassier, S. Talavera-Goy, 2008

Le français du monde du travail (nouvelle édition)
E. Cloose, 2009

Les combines du téléphone fixe et portable
(nouvelle édition, CD inclus)
J. Lamoureux, 2009

Le français pour les sciences
J. Tolas, 2004

ENTRAÎNEMENT AUX EXAMENS

Lire la presse
B. Chovelon, M.-H. Morsel, 2005
Manuel – Corrigés des exercices

Le résumé, le compte rendu, la synthèse
Guide d'entraînement aux examens et concours
B. Chovelon, M.-H. Morsel, 2003
Manuel avec corrigés des exercices

Cinq sur cinq. Évaluation de la compréhension orale
au niveau B2 du CECR (CD inclus)
R. Rœsch, R. Rolle-Harold, 2006

DIDACTIQUE & ORGANISATION DES ÉTUDES

Cours de didactique du français langue étrangère
et seconde (2de éd.)
J.-P. Cuq, I. Gruca, 2005

Nouvelle donne pour les Centres universitaires
de français langue étrangère
ADCUEFE, 2004

Diplômes universitaires en langue et culture françaises
ADCUEFE, 2004

L'enseignement-apprentissage du français langue étrangère
en milieu homoglotte
ADCUEFE, 2006

Sommaire

Avant-propos

I. La lignée

L'ouvrage que nous présentons s'inscrit dans la collection Vocabulaire et expression du département Français langue étrangère des Presses universitaires de Grenoble. Il complète utilement les deux volumes du *Français par les textes* et propose ici des textes d'auteurs avec des sujets un peu plus difficiles. Il s'adresse à des étudiants de FLE ayant une maîtrise suffisante de la langue pour aborder sans difficulté des auteurs célèbres tels que Molière, Proust ou Saint-Exupéry.

II. Les auteurs

Marie Barthe, titulaire d'une maîtrise de FLE et d'un DEA de linguistique a déjà publié aux PUG en collaboration avec Bernadette Chovelon, *Expression et style,* un manuel de perfectionnement contenant des textes et un enseignement lexical et grammatical détaillé, destiné aux étudiants de niveaux avancés.

Bernadette Chovelon, titulaire d'un doctorat ès lettres, a une longue expérience de l'enseignement du FLE. Elle a déjà publié aux PUG en collaboration avec Christian Abbadie et Marie-Hélène Morsel *L'Expression française écrite et orale.* Elle a également publié avec Marie Barthe *Expression et style*, ainsi que *Le résumé, le compte rendu, la synthèse* en collaboration avec Marie-Hélène Morsel.

Marie Barthe et Bernadette Chovelon ont publié aux PUG en 2004 *Je lis et j'écris le français* et *Je parle et pratique le français,* deux méthodes progressives et complémentaires destinées aux formations d'alphabétisation et à l'enseignement de base du français pratique pour adultes étrangers résidant en France.

III. Le public

Alors que les tomes du *Français par les textes* contiennent des textes axés sur la vie quotidienne, cet ouvrage s'adresse à des étudiants en langue française, curieux de connaître les auteurs de la littérature française. Les extraits étant de difficultés différentes et de longueurs variables ils peuvent être utilisés dès les niveaux moyens (après au moins deux semestres d'étude de la langue française). Nous avons voulu que quelques textes soient donnés dans leur totalité malgré leur longueur, pour que l'apprenant ne se sente pas frustré devant des extraits trop coupés.

III. La construction de l'ouvrage

Cet ouvrage contient 45 textes.

Il se divise en 13 parties distinctes car il nous a paru intéressant de proposer un éventail des différents genres abordés par les auteurs français, et d'en donner une définition préalable.

IV. La méthodologie

Comme dans les ouvrages précédents, la méthodologie est rigoureusement identique dans les 45 textes. Après une présentation du genre et quelques notions simples sur l'auteur, on trouvera :

1. Le texte.

2. Dix questions de compréhension du texte.

3. Un enrichissement lexical.

4. Une sensibilisation grammaticale.

5. Des propositions pour des travaux oraux à faire en classe : exposés, discussions, débats.

6. Des travaux écrits : des rédactions simples à faire à la maison entraînant une réflexion préalable à partir du texte étudié.

Pour quelques textes particuliers, il est demandé de résumer l'idée de chaque paragraphe.

V. Pour finir

Cette première approche de textes littéraires ne cherche pas à donner un aperçu de l'histoire de la littérature française. Elle se veut simplement un outil de travail dans la ligne du FLE pour aborder plus facilement la lecture de textes d'auteurs très connus, dans l'œuvre complète, selon les genres proposés.

Les auteurs

Le *Corrigés des exercices* est également disponible.

PARTIE I

L'autobiographie

Une autobiographie est l'histoire de la vie de l'auteur,
racontée par lui-même.

Texte 1

L'importance de l'imagination chez l'enfant

George Sand (1804-1876) a été non seulement une romancière célèbre en avance sur son temps pour une grande partie de ses idées, mais elle a été aussi une éducatrice dont les principes sont encore très valables de nos jours.

* * *

L'enfant vit tout naturellement dans un milieu surnaturel où tout est prodige en lui, et où tout ce qui est en dehors de lui doit, à la première vue, lui sembler prodigieux... ( ). Ma mère me chantait une chanson la veille de Noël. Mais comme cela ne revenait qu'une fois l'an, je ne me la rappelle pas. Ce que je n'ai pas oublié, c'est la croyance absolue que j'avais à la descente par le tuyau de la cheminée du petit père Noël, bon vieillard à barbe blanche qui, à l'heure de minuit, devait venir déposer dans mon petit soulier un cadeau que j'y trouverais à mon réveil. Minuit ! cette heure fantastique que les enfants ne connaissent pas, et qu'on leur montre comme le terme impossible de leur veillée ! Quels efforts incroyables je faisais pour ne pas m'endormir avant l'apparition du petit vieux ! J'avais à la fois grande envie et grande peur de le voir ; mais jamais je ne pouvais me tenir éveillée jusque-là, et le lendemain, mon premier regard était pour mon soulier, au bord de l'âtre. Quelle émotion me causait l'enveloppe de papier blanc, car le père Noël était d'une propreté extrême, et ne manquait jamais d'empaqueter soigneusement son offrande. Je courais pieds nus m'emparer de mon trésor. Ce n'était jamais un don magnifique, car nous n'étions pas riches. C'était un petit gâteau, une orange, ou tout simplement une belle pomme rouge. Mais cela me semblait si précieux que j'osais à peine le manger. L'imagination jouait encore là son rôle, et c'est toute la vie de l'enfant.

Je n'approuve pas du tout Rousseau de vouloir supprimer le merveilleux, sous prétexte de mensonge. La raison et l'incrédibilité viennent bien assez vite d'elles-mêmes. Je me rappelle fort bien la première année où le doute m'est venu sur l'existence réelle du père Noël. J'avais cinq ou six ans, et il me sembla que ce devait être ma mère qui mettait le gâteau dans mon soulier. Aussi me parut-il moins beau et moins bon que les autres fois, et j'éprouvais une sorte de regret de ne pouvoir plus croire au petit bonhomme à barbe blanche. J'ai vu mon fils y croire plus longtemps ; les garçons sont plus simples que les filles. Comme moi, il faisait de grands efforts pour veiller jusqu'à minuit. Comme moi, il n'y réussissait pas, et comme moi, il trouvait, au jour, le gâteau merveilleux pétri dans les cuisines du paradis ; mais, pour lui aussi, la première année où il douta fut la dernière de la visite du bonhomme. Il faut servir aux enfants les mets qui conviennent à leur âge et ne rien devancer. Tant qu'ils ont besoin du merveilleux, il faut leur en donner. Quand ils commencent à s'en dégoûter, il faut bien se garder de prolonger l'erreur et d'entraver le progrès naturel de leur raison.

Retrancher le merveilleux de la vie de l'enfant, c'est procéder contre les lois mêmes de la nature.

George Sand. *Histoire de ma vie* (extrait)

* * *

Compréhension du texte

1. Que signifie un milieu surnaturel chez l'enfant ? Donnez un exemple pris dans la vie.
2. Comment expliquez-vous : tout est prodige en lui ?
3. Pourquoi minuit est-il une heure fantastique pour les enfants ?
4. Qu'est-ce que l'âtre ? Pourquoi les souliers étaient-ils au bord de l'âtre ?
5. Pourquoi l'enveloppe de papier blanc dans le petit soulier causait-elle une telle émotion à l'enfant ?
6. L'enfant était-elle déçue par la modestie de son cadeau ?
7. Quelle est la théorie de Rousseau sur le rôle de l'imagination chez l'enfant ?
8. Pourquoi George Sand n'approuve-t-elle pas cette théorie ?
9. À partir de quel moment faut-il arrêter d'introduire le merveilleux dans l'imagination des enfants ?
10. Pourquoi un beau jour le père Noël s'est-il arrêté de venir ?

Idées principales du texte

Dégagez les deux idées principales du texte.

Enrichissement lexical

- Qu'est-ce qu'une croyance absolue ?
- Que signifie l'expression française : croire au père Noël ?
- Que signifie pétrir un gâteau ?
- Quelle différence y a-t-il entre s'éveiller et se réveiller ?
- Que signifie devancer ?

Sensibilisation grammaticale

Les différentes manières d'exprimer le doute.

À partir de la phrase affirmative : Cet enfant croit encore au père Noël, construisez des phrases qui montrent qu'il doute du père Noël.

Travail écrit (au choix)

- Vous avez cru au père Noël jusqu'à un certain âge. Racontez dans quelles circonstances vous avez appris qu'il n'existait pas et comment vous avez réagi.
- Est-ce pour vous important de laisser une part de merveilleux dans l'éducation d'un enfant ? Quels en sont les avantages et les inconvénients ?

Travail oral (au choix)

- Les enfants sont fascinés actuellement par tout le merveilleux que leur procurent les dessins animés vus à la télévision. Comment, à votre avis, font-ils la part du merveilleux et du vrai ? Est-ce pour vous un bon apport psychologique ?
- L'impact des contes de fées sur la psychologie enfantine. Donnez des exemples vécus par vous ou par un de vos proches, et discutez de son bien-fondé. Lit-on encore des contes de fées aujourd'hui ?
- Les aventures d'Harry Potter connaissent un succès immense. Réfléchissez à ce phénomène et cherchez à l'approfondir en mesurant l'impact de certaines scènes sur la psychologie d'un enfant ou d'un adolescent.

TEXTE 2

SA MÈRE

Les parents d'Annie Ernaux tiennent un café-alimentation en Normandie. L'écrivain évoque le temps de son enfance où sa mère très active mène de front sa profession et sa vie familiale.

* * *

Elle était une mère commerçante, c'est-à-dire qu'elle appartenait d'abord aux clients qui nous « faisaient vivre ». Il était défendu de la déranger quand elle servait (attentes derrière la porte séparant la boutique de la cuisine pour avoir du fil à broder, la permission d'aller jouer etc.) Si elle entendait trop de bruit, elle surgissait, donnait des claques sans un mot et repartait servir. Très tôt, elle m'a associée au respect des règles à observer vis-à-vis des clients – dire bonjour d'une voix claire, ne pas manger, ne pas se disputer devant eux, ne critiquer personne – ainsi qu'à la méfiance qu'ils devaient inspirer, ne jamais croire ce qu'ils racontent, les surveiller discrètement quand ils sont seuls dans le magasin. Elle avait deux visages, l'un pour la clientèle, l'autre pour nous. Au coup de sonnette, elle entrait en scène, souriante, la voix patiente pour des questions rituelles sur la santé, les enfants, le jardin. Revenue dans la cuisine, le sourire s'effaçait, elle restait un moment sans parler, épuisée par un rôle où s'unissaient la jubilation et l'amertume de déployer tant d'efforts pour des gens qu'elle soupçonnait d'être prêts à la quitter s'ils « trouvaient moins cher ailleurs ».

C'était une mère que tout le monde connaissait, publique en somme. Au pensionnat, quand on m'envoyait au tableau : « Si votre maman vend dix paquets de café à tant » et ainsi de suite.

Elle n'avait jamais le temps, de faire la cuisine, tenir la maison « comme il faudrait », bouton recousu sur moi juste avant le départ pour l'école, chemisier qu'elle repassait sur un coin de table au moment de le mettre. À cinq heures du matin, elle frottait le carrelage et déballait les marchandises, en été, elle sarclait les plates-bandes de rosiers, avant l'ouverture ; elle travaillait avec force et rapidité, tirant sa plus grande fierté de tâches dures, contre lesquelles elle pestait, la lessive du gros linge, le décapage du parquet de la chambre à la paille de fer ; il lui était impossible de se reposer et de lire sans une justification, comme « j'ai bien mérité de m'asseoir » (et encore, elle cachait son feuilleton interrompu par une cliente sous une pile de vêtements à raccommoder). Les disputes entre mon père et elle, n'avaient qu'un seul sujet, la quantité de travail qu'ils fournissaient l'un par rapport à l'autre. Elle protestait : « C'est moi qui fais tout ici. »

Annie Ernaux. *Une femme* © Éditions Gallimard, 1987

* * *

Compréhension du texte

1. Pourquoi Annie Ernaux avait-elle l'impression que sa mère ne lui appartenait pas ?
2. Ses clients sont-ils pour elle des amis en qui elle a confiance ?
3. Quels mots font-ils comprendre que la mère joue un rôle dans sa ville ? Quel rôle ?
4. Sa fille en souffre-t-elle ?
5. Cette femme était-elle tiraillée entre sa famille et sa profession ? Donnez des exemples.
6. Quels sont les exemples qui montrent que la bonne tenue de ses enfants et de sa maison était importante pour elle ?
7. Trouvait-elle normal de se reposer ?
8. Aimait-elle lire ?
9. Pourquoi les parents d'Annie Ernaux se disputaient-ils ?
10. La petite fille était-elle admirative de sa mère ou au contraire la critiquait-elle ?

Les idées du texte

1. Donnez un titre à chaque paragraphe du texte.
2. Citez la phrase-clé de ce texte.

Enrichissement lexical

1. Qu'est-ce que des questions rituelles sur la santé, les enfants, le jardin ? Donnez-en quelques-unes que vous avez entendues dans la conversation habituelle des Français ?
2. Qu'est-ce que l'amertume ?

Sensibilisation grammaticale

1. Justifiez l'orthographe de elle m'a *associée*.
2. À quel temps est le texte ? Pourquoi ?
3. Remplacez l'infinitif par le verbe qui convient :
   – C'est toi qui (parler).
   – C'est nous qui (faire) la cuisine.
   – C'est vous qui (être) dans la salle à manger.
   – C'est toi qui (faire) le ménage.
   – C'est toi qui (ranger) l'armoire.

Travail écrit

Écrivez le portrait de votre mère ou de quelqu'un que vous aimez bien, dans une de ses activités favorites.

Travail oral

1. Que pensez-vous du travail de la femme mère de famille ? Chacun donne son opinion à tour de rôle.
2. Grande surface ou petite épicerie ? Où aimez-vous le mieux faire vos courses ?

Texte 3
La disponibilité selon André Gide

André Gide (1869-1951) a été élevé selon une morale particulièrement rigide et austère. Gravement malade à dix-neuf ans, il est amené à aller se soigner sous le soleil d'Afrique du Nord, loin de toutes les conventions. Il en ressent une libération et un épanouissement qui éclatent au grand jour dans Les Nourritures terrestres *où il exalte une disponibilité totale et confiante à toute nouvelle sensation.*

* * *

À dix-huit ans, quand j'eus fini mes premières études, l'esprit las de travail, le cœur inoccupé, languissant de l'être, le corps exaspéré par la contrainte, je partis sur les routes, sans but, usant ma fièvre vagabonde. Je connus tout ce que vous savez : le printemps, l'odeur de la terre, la floraison des herbes dans les champs, les brumes du matin sur la rivière, et la vapeur du soir sur les prairies. Je traversai des villes, et ne voulus m'arrêter nulle part. Heureux, pensais-je, qui ne s'attache à rien sur la terre et promène une éternelle ferveur à travers les constantes mobilités. Je haïssais les foyers, les familles, tous lieux où l'homme pense trouver un repos ; et les affections continues, et les fidélités amoureuses, et les attachements aux idées – tout ce qui compromet la justice ; je disais que chaque nouveauté doit nous trouver toujours tout entier disponibles. (…)

Je vivais dans la perpétuelle attente, délicieuse, de n'importe quel avenir. (…) Mon bonheur venait de ce que chaque source me révélait une soif, et que, dans le désert sans eau, où la soif est inapaisable, j'y préférais encore la ferveur de ma fièvre sous l'exaltation du soleil. Il y avait, au soir, des oasis merveilleuses, plus fraîches encore d'avoir été souhaitées tout le jour. (…) Je savourais souvent, dans mes courses du matin, le sentiment d'un nouvel être, la tendresse de ma perception. – « Don du poète, m'écriais-je, tu es le don de perpétuelle rencontre » – et j'accueillais de toutes parts. Mon âme était l'auberge ouverte au carrefour ; ce qui voulait entrer, entrait. Je me suis fait ductile, à l'amiable, disponible par tous mes sens, attentif, écouteur jusqu'à n'avoir plus une pensée personnelle, capteur de toute émotion en passage, et de réaction si minime que je ne tenais plus rien pour mal plutôt que de protester devant rien.

André Gide. *Les Nourritures terrestres*, (1895) Quatrième livre, I, © Éditions Gallimard

* * *

Compréhension du texte

1. Quelle est votre première impression à la lecture de ce texte?
2. Que signifie : usant ma fièvre vagabonde?
3. Trouvez un autre mot pour la vapeur du soir.
4. Pourquoi ne veut-il s'arrêter nulle part?
5. Comment comprenez-vous le mot ferveur?
6. Pourquoi haïssait-il les foyers, les familles?
7. Que signifie : chaque source me révélait une soif?
8. Pourquoi les oasis lui semblent plus fraîches le soir?
9. Que signifie : j'accueillais de toutes parts?
10. Pourquoi son âme était-elle une auberge ouverte au carrefour?

Les idées du texte

Quels sont les sentiments qui dominent dans ce texte?

Enrichissement lexical

1. Que signifie : le cœur inoccupé? Dites-le autrement.
2. Qu'est-ce que les constantes mobilités?
3. Cherchez dans ce texte des mots qui expriment le bonheur?
4. Quel est le sens du mot ductile?

Sensibilisation grammaticale

1. À quel temps est le verbe de la première phrase? Pourquoi?
   Écrivez trois phrases de votre choix sur ce même modèle.
2. Ce texte comporte une proposition incise : m'écriai-je.
   Écrivez trois phrases comprenant une proposition incise.

Travail écrit

La vie dans un pays étranger dispose-t-elle à une certaine disponibilité? L'avez-vous expérimentée? Quelles en sont les ouvertures, les limites, les attentes ou les déceptions?

Travail oral

Discutez en groupe :

- L'adolescence est l'âge où l'on aspire à la liberté. Quelle différence voyez-vous entre disponibilité et liberté ? Quelles sont les limites de ces deux dispositions pour pouvoir vivre en société ?
- Êtes-vous d'accord avec l'attitude de Gide devant la vie ?

Texte 4

La haie d'aubépines

Marcel Proust (1871-1922) est un écrivain important dans la littérature française car il a créé un style complexe mais particulièrement poétique par l'accumulation des images, entre autres. Dans À La Recherche du Temps perdu, *il a voulu tracer une sorte d'autobiographie, analysant des impressions passées, même infimes, et en superposant ses souvenirs.*

* * *

(Le petit chemin), je le trouvais tout bourdonnant de l'odeur des aubépines. La haie formait comme une suite de chapelles qui disparaissaient sous la jonchée[1] de leurs fleurs amoncelées en reposoir[2] ; au-dessous d'elles, le soleil posait à terre un quadrillage de clarté, comme s'il venait de traverser une verrière ; leur parfum s'étendait aussi onctueux, aussi délimité en sa forme que si j'eusse été devant l'autel de la Vierge, et les fleurs, ainsi parées, tenaient chacune d'un air distrait son étincelant bouquet d'étamines […]

Mais j'avais beau rester devant les aubépines à respirer, à porter devant ma pensée qui ne savait ce qu'elle devait en faire, à perdre, à retrouver leur invisible et fixe odeur, à m'unir au rythme qui jetait leurs fleurs ici et là, avec une allégresse juvénile et à des intervalles inattendus comme certains intervalles musicaux, elles m'offraient indéfiniment le même charme avec une profusion inépuisable, mais sans me le laisser approfondir davantage, comme ces mélodies qu'on rejoue cent fois de suite sans descendre plus avant dans leur secret. Je me détournais d'elles un moment pour les aborder ensuite avec des forces plus fraîches. Je poursuivais jusque sur le talus qui, derrière la haie, montait en pente raide vers les champs, quelque coquelicot perdu, quelques bleuets restés paresseusement en arrière, qui le décoraient çà et là de leurs fleurs comme la bordure d'une tapisserie où apparaît clairsemé le motif agreste qui triomphera sur le panneau ; rares encore, espacés comme les maisons isolées qui annoncent déjà l'approche d'un village, ils m'annonçaient l'immense étendue où déferlent les blés, où moutonnent les nuages, et la vue d'un seul coquelicot hissant au bout de son cordage et faisant cingler au vent sa flamme rouge, au-dessus de sa bouée graisseuse et noire, me faisait battre le cœur, comme au voyageur qui

---

1. Amas de branches ou de fleurs dont on peut joncher le sol (étendre sur le sol) dans les rues ou les églises pour marquer une fête.
2. Dans les églises autrefois on garnissait les reposoirs, c'est-à-dire certains autels, avec une profusion de fleurs lors de fêtes liturgiques.

aperçoit sur une terre basse une première barque échouée que répare un calfat[3] et s'écrie avant de l'avoir encore vue : « La mer ! »

Marcel Proust, *À la recherche du temps perdu, Du côté de chez Swann*, 1913

* * *

Compréhension du texte

1. Avez-vous déjà vu une haie d'aubépines en fleurs ?

2. Une odeur peut-elle bourdonner ? Quels sont les insectes qui bourdonnent ? Comment le petit chemin peut-il être bourdonnant de l'odeur des aubépines ?

3. Comment comprenez-vous une suite de chapelles ?

4. Relevez dans ce paragraphe toutes les allusions à la vie religieuse. Pourquoi à votre avis Marcel Proust utilise-t-il ces comparaisons ?

5. Pourquoi perd-t-il et retrouve-t-il sans cesse ces odeurs à des intervalles inattendus ?

6. Quelles sont les phrases qui montrent que l'auteur veut porter une grande attention à l'odeur des aubépines ?

7. Que voit-on derrière la haie d'aubépines ?

8. De quelle comparaison l'auteur se sert-il pour décrire les fleurs qui poussent dans les champs ?

9. …l'immense étendue où *déferlent* les blés, où *moutonnent* les nuages. Expliquez le sens des deux verbes en italique.

10. De quelle mer s'agit-il ?

Les idées du texte

Deux descriptions différentes sont abordées dans ce texte. Quelles sont ces deux descriptions ?

Enrichissement lexical

1. Donner un synonyme du mot amoncelées. Quelle est la racine de ce mot ?

2. Qu'est-ce qu' une allégresse juvénile ?

3. Sans descendre plus avant dans leur secret. Que signifie cette phrase ?

4. Que signifie : *cingler* au vent ?

---

3. Un ouvrier chargé de rendre un navire étanche en bouchant les trous avec de l'étoupe goudronnée.

Sensibilisation grammaticale

1. Que signifie la locution : j'avais beau rester devant les aubépines. Pouvez-vous la remplacer par une autre expression de même sens ?
2. Faites cinq phrases en marquant l'opposition par l'expression avoir beau.

Travail écrit

Écrivez la description d'un paysage qui vous est familier ou d'un tableau à votre choix.

Travail oral

1. Qu'avez-vous pensé de ce texte dont la lecture n'est pas facile ?
2. Avez-vous pu en apprécier la beauté ?
3. Quelles sont les images auxquelles vous avez été le plus sensible ?
4. Faites la description de l'arrivée du printemps dans votre pays.

En langue orale : autobiographie d'un mannequin : Inès de la Fressange

Cette autobiographie est moins classique que les précédentes. Ce type de récit, très utilisé depuis l'apparition des enregistrements, se présente sous forme d'entretiens qui ont l'avantage pour l'auteur de n'avoir qu'à parler ou répondre à des questions. C'est un écrivain qui se chargera par la suite de rédiger la conversation et de la publier.

Paris est réputé pour l'abondance de ses couturiers et l'élégance de sa haute couture. À chaque saison, des défilés de modes permettent de faire connaître les nouvelles tendances. Les nouveaux modèles sont présentés par des femmes particulièrement longues et minces que sont « les mannequins ». Être mannequin est un métier dur, exigeant et difficile ; Inès de la Fressange, un des plus célèbres mannequins français, nous explique quelques aspects de son métier.

* * *

Le génie des podiums

Lorsque j'ai commencé, j'étais trop grande, trop maigre, trop étrange. On me disait très souvent : « Mais pourquoi tu ne ferais pas du cinéma ? » Je ne correspondais pas du tout à la mannequin type. J'avais presque trop de personnalité. Et puis, tout d'un coup, quelqu'un m'a vue. Souvent dans ce métier, un photographe, un créateur ou quelqu'un qui a un certain pouvoir vous regarde différemment. C'est cette vision qui est importante, plus que la réalité.

Jean-Jacques Picart m'a donc repérée. Il a été le premier consultant dans la mode et travaillait avec tous les jeunes créateurs. Il s'occupait de les orienter ou de positionner leur image. Les défilés, le choix des mannequins, l'invitation de la presse étaient à sa charge. Aujourd'hui encore, il est en contact permanent avec les journalistes, les jeunes créateurs, les écoles de stylisme. Il connaît personnellement tout le monde, va à tous les défilés, est invité à toutes les fêtes. C'est un incontournable de la mode.

Il a été le premier à imaginer que derrière mon jean, mes baskets et les pulls de mon père, je pouvais être quelqu'un de sophistiqué. Ce n'était pas évident. Dans son esprit, j'étais la Parisienne, avec son humour et son franc-parler. D'après lui, j'avais un côté aristocrate dégingandé, j'incarnais l'élégance française. Et il a réussi à l'imposer à des stylistes. Mon style, alors, est devenu androgyne, sportswear et sophistiqué. Jean-Jacques m'attribuait des vestes d'hommes avec des colliers de perles, ce qui pour lui était la modernité. Au bout d'un moment, s'il y avait un smoking, une veste, un costume, c'était assez flagrant que j'allais être choisie pour les porter.

Le style Inès

Ce que je dis peut paraître très prétentieux, mais je sortais du lot. Pas parce que j'étais mieux, mais parce que j'étais différente. (…)

La première fois que j'ai mis les pieds sur un podium, c'était déjà une erreur : je n'avais rien de la mannequin traditionnelle. Mais quand on sent que le courant passe dans la salle, on ose. Quand les gens se mettaient à applaudir – même si je savais que c'était pour les vêtements et pas pour moi –, j'étais contente et je le montrais. Tout comme lorsque j'apercevais quelqu'un que je connaissais. Ce sont les autres qui m'ont fait remarquer : « Toi, tu souris », « Toi, tu sors du lot. » Je ne trouvais pas que j'avais un style de défilé. Je me sentais aussi plus ou moins en confiance avec certains créateurs. Quand j'arrivais aux essayages et que j'entendais : « Ah, voilà Inès », « Avec Inès, ça va être facile », je sentais une complicité, une bienveillance et j'étais plus à l'aise. (…)

L'aventure Chanel

Pendant sept ans, mon image a été associée tour à tour à Thierry Mugler, Jean-Charles de Castelbajac, Hermès[1]… J'ai travaillé, défilé, posé pour tout le monde. Le jour où j'ai signé mon contrat avec Chanel, ce passé a été, dans l'esprit des gens, totalement effacé. Comme si je commençais à être mannequin. Aujourd'hui encore, beaucoup pensent que ma carrière a débuté avec Chanel. Mon image reste et restera irrémédiablement liée à cette maison. Et à Coco.

J'aime le personnage de Mlle Chanel. Rien ne vaut sa dégaine, son attitude, ses mélanges. (…) Chanel avait, au début des années 1980, une image très bourgeoise et conventionnelle, un peu synonyme de « bon chic, bon genre », alors qu'avant guerre, c'était tout à fait l'inverse. Dans les années 1910, à Deauville, Mlle Chanel a eu l'audace de créer des vêtements avec du jersey, qui était un tissu un peu élastique utilisé pour les sous-vêtements. Ce n'était pas une matière noble. (…) Elle a été très sensible au chic anglais. Les vêtements d'hommes l'ont beaucoup influencée. Et moi, c'est ce que j'ai toujours aimé. (…)

---

1. Noms de couturiers français célèbres.

La nouvelle Mademoiselle[2]

(…) C'était la première fois qu'une maison de couture décidait de signer un contrat. (…) J'ai vraiment vécu mon lien avec Chanel comme un mariage heureux. J'ai signé en 1983 pour sept ans. Dans la presse, on m'a appelée « The million dollar baby ». J'étais payée ponctuellement pour chaque travail que j'effectuais pour la marque : essayage, défilé, campagne de pub, interview télévisée. Je gagnais environ 4 000 francs par jour, mais la maison me garantissait, pour mon exclusivité, un minimum de 1 million de francs par an. Comme c'était le premier contrat de ce type, on considérait qu'il était énorme, mais comparé aux engagements que peuvent avoir les mannequins aujourd'hui, c'étaient des clopinettes. Elles sont devenues des mégastars, elles reçoivent des sommes pharaoniques, alors on m'associe à ce phénomène, mais ce n'était pas du tout similaire. Une mannequin peut gagner aujourd'hui 6 000 euros pour un défilé, une top-modèle, 30 000. (…)

Mon rôle au départ était de faire tous les défilés de presse et toutes les campagnes de publicité. Mais très vite, j'ai assisté aux réunions commerciales de Chanel ; puis il y a eu le lancement du parfum Coco, pour lequel je suis allée faire la tournée des grands magasins aux États-Unis. Je suis devenue le porte-parole et l'image de la marque. (…)

Je pouvais choisir des vêtements à la boutique, mais ils étaient souvent trop larges et trop courts pour moi. C'était paradisiaque de se servir en sacs, souliers et cosmétiques. Très longtemps après, la direction de Chanel a décidé de me faire confectionner des vêtements sur mesure. J'avais un quota. Même lorsque j'étais en représentation, je choisissais les vêtements Chanel que j'aimais et je les mélangeais avec les miens comme une cliente pouvait le faire. J'étais beaucoup plus crédible de cette façon. (…)

La première mannequin star

J'ai été le premier mannequin à être traité comme une chanteuse ou une actrice. Au bout d'un moment, je recevais tellement de courrier que je ne pouvais plus répondre à tout le monde. Des fans m'envoyaient des lettres avec des cœurs, des cassettes de musique. Ils m'écrivaient qu'ils adoraient le style Chanel, qu'ils découpaient mes photos dans les journaux, qu'ils me guettaient à la télévision. De jeunes garçons de Bretagne me faisaient régulièrement parvenir des fars[3] bretons avec un petit mot. Au bout de six heures d'essayage, nous étions ravis de nous jeter sur ces gâteaux ! Un jeune homme, qui, je crois, avait un faible pour moi, m'avait envoyé un cerisier. Il avait été livré dans le hall d'entrée de chez Chanel et tous les gens qui passaient demandaient : « Oh, qu'est-ce que c'est ? – C'est pour Inès. » Le coup du cerisier avait fait beaucoup de bruit dans la maison. J'ai oublié de remercier le type, il m'a envoyé un cactus ! « Qu'est-ce que c'est, ça ? – C'est pour Inès. » (…)

---

2. Nom que l'on donnait à Coco Chanel, une grande personnalité de la haute couture dont le siège était rue Cambon.

3. Gâteaux aux pruneaux.

Le miroir aux alouettes

Les jeunes filles doivent penser que, lorsqu'on est mannequin, tout le monde vous fait des compliments, des cadeaux, vous dit que vous êtes sublime et extraordinaire. En admettant que ce soit vrai, il faut qu'elles sachent que ce n'est pas satisfaisant. Cela ne peut pas tenir lieu de projet dans la vie. Mais nous sommes conditionnés comme cela : on ne reconnaît, on n'admire et l'on ne met en valeur que les gens qui ont un succès facile ou un métier artistique. Les journalistes vont faire trois heures d'interview avec n'importe quelle chanteuse ou actrice, mais pas avec un ébéniste. Quand j'étais mannequin, je recevais des tonnes de lettres où l'on m'écrivait : « J'adore ce que vous faites » et quand je me suis vraiment mise à faire quelque chose, à être styliste, je n'avais plus de courrier. Ce n'est pas le travail qu'on admire, c'est la chance, l'aura, la grâce, le charisme.

Inès de la Fressange, *Profession mannequin, Récit.*
Conversations avec Marianne Mairesse. © Hachette Littérature, 2002

* * *

Compréhension du texte

1. Que reprochait-on à Inès de la Fressange avant qu'elle ne soit remarquée par Jean-Jacques Picart ?
2. Quelle image incarnait Inès de la Fressange selon Jean-Jacques Picard ?
3. Sous l'influence de Jean-Jacques Picart, quel style est apparu chez de Inès de la Fressange ? Donnez des exemples.
4. En quoi Inès de la Fressange sortait du lot ?
5. À l'image de quelle grande maison Inès de la Fressange restera-t-elle liée ?
6. L'image de Coco Chanel a-t-elle changé entre les années 1910 et 1980 ?
7. En quoi Inès de la Fressange est-elle pionnière dans le monde de la mode ?
8. Le statut des mannequins aujourd'hui a-t-il évolué depuis son époque ?
9. Quel a été son rôle dans la maison Chanel ?
10. D'après Inès de la Fressange, qu'admire-t-on particulièrement chez ces stars ?

Enrichissement lexical

1. Expliquer les mots ou les expressions suivantes : sophistiqué ; dégingandé ; androgyne ; sportswear ; l'aura ; le charisme ; le miroir aux alouettes.
2. Relever le champ lexical du monde de la mode.

Sensibilisation grammaticale

1. Justifiez l'accord des participes passés suivants :

Et puis, tout d'un coup, quelqu'un m'a vue.

Elles sont devenues des mégastars…

Un jeune homme, qui, je crois, avait un faible pour moi, m'avait envoyé un cerisier.

Écrivez trois phrases de votre choix où les trois participes passés obéiront aux mêmes
règles d'accord.

2. ne… que = seulement

Dans le texte, on relève la phrase :

Mais nous sommes conditionnés comme cela : on ne reconnaît, on n'admire et
l'on ne met en valeur que les gens qui ont un succès facile ou un métier artistique.

Transformez les phrases suivantes en utilisant ne… que :

Il a connu la France seulement à la fin de sa vie.

Elle a seulement une minute à te consacrer.

Ils ont juste trois euros pour rentrer chez eux.

Travail écrit

• Choisissez une star que vous aimez particulièrement. Envoyez-lui une lettre pour lui
  exprimer toute votre admiration.

• Décrivez un défilé de mode que vous avez vu à la télévision par exemple.

• Comment imaginez-vous la vie d'un mannequin ?

Travail oral

• Quels couturiers français connaissez-vous ?

• Quel regard portez-vous sur la mode, sur les mannequins. Est-ce un monde qui
  vous fascine ou vous laisse indifférent(e) ? Expliquez.

PARTIE II

La biographie

Une biographie est l'histoire de la vie de quelqu'un
racontée par quelqu'un d'autre.

TEXTE 6

LE REQUIEM DE MOZART

Stendhal (1783-1842), est auteur de romans célèbres comme Le Rouge et le Noir *(1830),* La Chartreuse de Parme *(1839). Il a écrit également des récits de voyages, des ouvrages sur la peinture et des vies de compositeurs (Haydn, Mozart, Rossini…).*

Mozart, musicien autrichien (1756-1791) est un des plus célèbres compositeurs du monde. Le Requiem est une de ses dernières œuvres qu'il n'eut pas le temps de finir. Écrite à la suite d'une mystérieuse commande, il est de notoriété publique qu'en écrivant cette œuvre il songeait à sa propre mort. Il avait 35 ans.

* * *

Un jour que Mozart était plongé dans une profonde rêverie, il entendit un carrosse s'arrêter à sa porte. On lui annonce un inconnu qui demande à lui parler ; on le fait entrer. Il voit un homme d'un certain âge fort bien mis, les manières les plus nobles et même quelque chose d'imposant : « Je suis chargé, monsieur, par un homme très considérable, de venir vous trouver. – Quel est cet homme ? interrompit Mozart. – Il ne veut pas être connu. – À la bonne heure ! Et que désire-t-il ? – Il vient de perdre une personne qui lui était bien chère et dont la mémoire lui sera éternellement précieuse ; il veut célébrer tous les ans sa mort par un service solennel et il vous demande de composer un *Requiem*[1] pour ce service. » Mozart se sentit frappé de ce discours, du ton grave dont il était prononcé, de l'air mystérieux qui semblait répandu sur toute cette aventure. Il promit de faire le *Requiem*. L'inconnu continua : « Mettez à cet ouvrage tout votre génie : vous travaillez pour un connaisseur en musique. – Tant mieux. – Combien de temps demandez-vous ? – Quatre semaines.– Eh bien ! je reviendrai dans quatre semaines. Quel prix mettez-vous à votre travail ?– Cent ducats. »

L'inconnu les compte sur la table et disparaît.

Mozart reste plongé quelques instants dans de profondes réflexions ; puis, tout à coup, demande une plume, de l'encre, du papier, et, malgré les remontrances de sa femme, il se met à écrire. Cette fougue de travail continua plusieurs jours ; il composait jour et nuit et avec une ardeur qui sembla augmenter en avançant ; mais son corps déjà faible ne put résister à cet enthousiasme : un matin, il tomba sans connaissance et fut obligé de suspendre son travail. Deux ou trois jours après, sa femme songeant à le distraire des

---

1. Prière pour les morts.

sombres pensées qui l'occupaient, il lui répondit brusquement : « Cela est certain, c'est pour moi que je fais ce Requiem, il servira à mon service mortuaire. » Rien ne put le détourner de cette idée.

À mesure qu'il travaillait, il sentait ses forces diminuer de jour en jour, et sa partition avançait lentement. Les quatre semaines qu'il avait demandées s'étant écoulées, il vit un jour entrer chez lui le même inconnu. « Il m'a été impossible, dit Mozart, de tenir ma parole. – Ne vous gênez pas, dit l'étranger. Quel temps vous faut-il encore ? – Quatre semaines. L'ouvrage m'a inspiré plus d'intérêt que je ne pensais et je l'ai étendu beaucoup plus que je n'en avais le dessein. – En ce cas, il est juste d'augmenter les honoraires ; voici cinquante ducats de plus. – Monsieur, dit Mozart, toujours plus étonné, qui êtes-vous donc ? – Cela ne fait rien à la chose. Je reviendrai dans quatre semaines. »

Mozart appelle sur-le-champ un de ses domestiques pour faire suivre cet homme extraordinaire, et savoir qui il était ; mais le domestique maladroit vint rapporter qu'il n'avait pu retrouver sa trace.

Le pauvre Mozart se mit dans la tête que cet inconnu n'était pas un homme ordinaire, qu'il avait sûrement des relations avec l'autre monde et qu'il lui était envoyé pour annoncer sa fin prochaine.

Il ne s'en appliqua qu'avec plus d'ardeur à son Requiem qu'il regardait comme le monument le plus durable de son génie. Pendant ce travail il tomba plusieurs fois dans des évanouissements alarmants. Enfin l'ouvrage fut achevé avant les quatre semaines. L'inconnu revint au terme convenu : Mozart n'existait plus.

Sa carrière a été aussi courte que brillante. Il est mort à peine âgé de trente-six ans ; mais, dans ce peu d'années, il s'est fait un nom qui ne périra point tant qu'il se trouvera des âmes sensibles.

Stendhal. *Lettres sur Haydn… Mozart et Métastase,* 1815

* * *

Compréhension du texte

1. Dans quelles circonstances Mozart a-t-il pris connaissance de la commande du *Requiem* ?

2. Mozart a-t-il cherché à savoir le nom de la personne qui commandait le *Requiem* ?

3. Pourquoi cette personne désirait-elle un *Requiem* ?

4. La commande a-elle été payée à Mozart ?

5. Mozart a-t-il été long à se mettre au travail ?

6. Sa femme était-elle d'accord ? Pourquoi ?

7. A-t-il pu travailler autant qu'il l'aurait voulu ?

8. Pourquoi ce sujet lui tenait-il tant à cœur ?

9. Mozart avait-il un domestique ? Que lui a-t-il demandé ?

10. Quand l'inconnu est revenu après les quatre semaines supplémentaires, est-ce que Mozart lui a remis sa partition entre les mains ?

Questions complémentaires :

Avez-vous déjà entendu une œuvre de Mozart ?

Avez-vous déjà entendu le *Requiem* ?

Désirez-vous l'entendre ?

Idées principales du texte

Combien y a-t-il de paragraphes dans ce texte ?

Donnez un titre à chaque paragraphe.

Enrichissement lexical

1. Qu'est-ce qu'un carrosse ? Donnez des mots de la même famille. Quelle remarque orthographique faites-vous à leur sujet ?

2. Qu'est ce qu'un homme très considérable ?

3. Qu'est-ce que des remontrances ?

4. Que signifie l'expression tenir sa parole ? Connaissez-vous d'autres expressions avec le mot parole ?

5. Quel pourrait être le synonyme du mot dessein dans ce contexte ?

6. Les honoraires : trouver d'autres mots avec le même sens dans un contexte différent.

7. Sur-le-champ : trouver un synonyme.

Sensibilisation grammaticale

1. Pourquoi dans la deuxième ligne le verbe entendre est-il au passé simple et le verbe être plongé est-il à l'imparfait ? À votre tour construisez trois phrases avec des verbes au même temps.

2. Pourquoi dans la phrase suivante le verbe annoncer est-il au présent ?

3. *Il sentait* ses forces *diminuer*. Cette phrase contient une proposition infinitive car elle a un premier verbe avec un sujet propre qui en entraîne un autre à l'infinitif qui a aussi un sujet. Construisez trois phrases sur le même modèle.

Travail écrit

Écrivez quels sont les compositeurs de chansons que vous préférez actuellement et essayez d'écrire à leur sujet une petite biographie. Vous aurez peut-être quelques recherches à entreprendre.

Travail oral

Exposé. Musique classique et musique moderne. Peut-on les opposer, les rapprocher ? Chacun donne ses préférences et les justifie.

Texte 7

Un souvenir de l'enfance de Victor Hugo raconté par sa femme, Adèle Hugo

Adèle Hugo a été une des biographes les plus précieuses de son mari. Elle raconte ici des épisodes de son enfance dans la maison de la rue des Feuillantines où, enfant elle-même, elle a connu en voisine la famille Hugo. Les trois frères Hugo étaient ses compagnons de jeux. Mme Hugo mère, venait juste de se séparer de son mari, le général Hugo.

* * *

Mme Hugo alla demeurer rue Saint-Jacques, en face de l'église Saint-Jacques-du-Haut-Pas. Elle était indifférente au grand côté de la nature, mais elle adorait les fleurs et par conséquent les jardins. Elle loua le premier logis qui lui tomba sous la main, parce que ce logis avait un petit jardin. Elle resta peu dans son logis de la rue Saint-Jacques, un an à peine. Quand elle eut semé et regardé pousser ses fleurs, elle s'aperçut qu'elle y était mal ; elle chercha autour d'elle ; elle découvrit à sa porte, au fond d'un cul-de-sac, les Feuillantines, revint ravie, disant : « J'ai enfin trouvé ce que je voulais ! »

(…) Elle mena tout de suite ses enfants à sa future habitation qui leur sembla un rêve des *Mille et une Nuits*. La maison était vaste, le jardin avait neuf arpents[1], était rempli d'arbres, de buissons, de fleurs et de fruits. Il était inculte, sauvage. Les mauvaises herbes étaient si touffues, avaient monté si haut qu'elles leur firent l'effet d'une forêt vierge. À gauche de ce pêle-mêle sauvage de fleurs et d'herbes était une immense allée gazonnée, au fond une superbe allée de marronniers, dans un coin un vieux puits desséché assez escarpé pour qu'il y eût mérite à le monter et à le descendre. Des fouillis de broussailles, toutes sortes de coins, des fruits en si grande profusion que la terre en était jonchée. M. Lalande, en faisant les honneurs de sa propriété à sa locataire dit aux enfants : « Mangez dès aujourd'hui ce que vous voudrez. » C'était la saison des raisins, saison si riche et si prodigue. Les trois garçons se mirent après les treilles et mangèrent à n'en pouvoir plus.

De retour chez eux, ils commencèrent leur déménagement. Les billes, les toupies, les sabots furent entortillés et ficelés, les soldats de plomb et les petits canons emballés, les

---

1. À peu près quatre hectares.

livres sanglés dans les courroies, les cahiers serrés dans les cartons comme s'il s'agissait d'un long et laborieux transport, d'une traversée d'outre-mer. Car, lorsqu'il est question d'un voyage ou d'un déménagement – mot qui sonne si joyeusement –, pour s'assurer du sérieux de la chose, les enfants font aussitôt de sérieux préparatifs. ce sont des sûretés qu'ils se donnent, des gages du changement pris d'avance.

(…) Les vrais camarades étaient le petit Victor Foucher[2] et les trois Lucotte. Lorsqu'ils arrivaient aux Feuillantines, ce n'était que démolition et escalades. Il y avait une grande niche aux lapins à trois étages qui était surtout leur souffre-douleur. Cette niche figurait une citadelle. Les trois Hugo, les trois Lucotte, le petit Foucher étaient tour à tour assiégés et assiégeants. Deux montaient au troisième étage, c'était les assiégés, ils se défendaient bel et bien avec leurs mouchoirs dont ils faisaient des tampons. Ils avaient commencé à prendre des échalas[3] en façon d'armes, mais Mme Hugo était accourue au secours des échalas et des yeux qu'ils menaçaient et avait enlevé les armes. On avait pris son parti des échalas enlevés, on y avait substitué les poings.

Mme Hugo avait une exigence qui les ennuyait beaucoup plus, étant sans remède. Dans sa passion pour les fleurs, elle arrachait impitoyablement ses fils à leurs jeux afin de leur faire arroser ses fleurs et l'aider dans ses travaux de jardinage, ce qui leur était insupportable. Ils aimaient voir les fleurs, les cueillir, les fouler, mais non les cultiver. Ces jeux violents, le jardinage, mettaient vite en loques leurs habits. Leur mère leur achetait pourtant du tissu très solide et toujours couleur marron, cette couleur lui paraissant sans doute plus résistante. Ce qui n'empêchait pas les enfants de se déchirer de tous côtés. Mme Hugo les grondait.

Mon mari parlant des Feuillantines dit : « C'est le soleil levant de ma vie, c'est tout un monde de souvenirs pour moi. » C'est aussi pour moi un des souvenirs lumineux de mes premières années… Quand j'allais aux Feuillantines, c'était pour moi chercher la joie ; je traversais, en sautant, la grille. Le devant du jardin était garni de plates-bandes remplies de fleurs. Au fond étaient de grands arbres, très touffus. À ces arbres était une balançoire, pour moi l'occasion d'émotions vives.
Mon mari, en vrai petit garçon qu'il était, mettait son amour-propre à aller très haut. Il montait debout sur l'escarpolette, se tenait raide et tendu ainsi que la corde qu'il avait dans les mains, puis il donnait de vigoureux élans jusqu'à ce que son corps se perdît dans les panaches verts des arbres que la balançoire faisait onduler de haut en bas. Il me semblait que le petit Victor allait tout briser, arbres, cordes, escarpolette et lui-même. Je m'en allais loin pour ne pas voir.

Victor Hugo raconté par un témoin de sa vie, 1863. *Les Feuillantines*

* * *

---

2. Le frère d'Adèle.

3. De grands morceaux de bois taillés en pointe que l'on met au pied d'un cep de vigne pour le soutenir.

Compréhension du texte

1. Pourquoi Mme Hugo mère a-t-elle loué sans hésitation la maison des Feuillantines ?
2. Cette maison plaisait-elle aux enfants ?
3. Dans quelle saison se situe le déménagement ?
4. Quels étaient les jouets des petits garçons de cette époque ?
5. Citer trois occupations préférées par les enfants dans le jardin.
6. Citer une occupation qu'ils n'aimaient pas.
7. Comment étaient habillés les enfants Hugo ?
8. Pourquoi Adèle Hugo a-t-elle pu raconter ces souvenirs avec tant de précision ?
9. Quel était son nom de jeune fille ?
10. Victor Hugo était-il un petit garçon téméraire ? Donnez un exemple.

Construction du texte

Donner un nom à chacun des paragraphes.

Enrichissement lexical

1. Donner des synonymes du mot une demeure.
2. Relever dans ce texte tous les mots qui montrent que la végétation était abondante dans le jardin des Feuillantines.
3. Que signifie l'expression : c'est le soleil levant de ma vie ? Donnez d'autres expressions avec le mot soleil.
4. Que signifie l'expression : se défendre bel et bien ?

Sensibilisation grammaticale

1. Quand elle eut *semé* et *regardé* pousser ses fleurs, elle s'aperçut qu'elle y était mal.

À quels temps sont employés les verbes en italiques. Justifier cet emploi. Écrivez trois phrases avec la même construction.

2. …Un puits assez escarpé et profond pour *qu'il y eût* du mérite à le monter et à le descendre.

Quel est le temps en italique ? Justifiez son emploi.

Travail écrit

Un déménagement est-il source de joie et de renouvellement de la vie ou au contraire est-il une source de tristesse et de nostalgie ? Comparer les deux points de vue à l'aide d'exemples précis.

Travail oral

• Chacun expose quel a été son jeu d'enfant préféré.

• Est-il utile ou nécessaire que les enfants aient beaucoup de jouets ?

La biographie d'un cuisinier célèbre, Auguste Escoffier
La création de la Pêche Melba

La recette de la Pêche Melba, une grande spécialité française, a été inventée à Londres par Auguste Escoffier, (1856-1935). Fils d'un modeste maréchal-ferrant du comté de Nice, Escoffier a été le chef du Grand Hôtel de Monaco, du Ritz de Paris, du Savoy, puis du Carlton de Londres et enfin de grands restaurants de New York où il fit connaître la cuisine française. Il a eu pour clients et comme amis toutes les gloires de son époque ; il est mort couvert d'honneurs en 1935 à l'âge de 89 ans. Il avait comme devise celle de Brillat-Savarin, un autre fameux cuisinier français qui affirmait : « La découverte d'un mets nouveau fait plus pour le genre humain que la découverte d'une étoile. »

Le 1ᵉʳ mai 1895 au Carlton à Londres, Louis-Philippe, duc d'Orléans, commanda un repas de fête qui devait réunir les interprètes de Lohengrin *(opéra de Wagner) et son chef d'orchestre. Amant de la cantatrice principale Nelli Melba, il était venu de Paris pour assister à cette représentation au Covent Garden. Le prince composa le menu mais pour le dessert, il laissa carte blanche à Escoffier.*

* * *

« *Ces pêches de Montreuil sont sublimes !* » se dit Escoffier. Il prit son fruit préféré dans sa main. Le contact en était voluptueux. « *Comment les préparer ?* »

Il disposait de quelque vingt-cinq recettes pour accommoder les pêches. La plus usitée était celle des *pêches Bourdaloue*, du nom d'un célèbre prédicateur du XVIIIᵉ siècle. « *Pourquoi ce bavard a-t-il laissé son nom à une recette de dessert ?* » s'était souvent demandé Escoffier sans jamais trouver la réponse.

Les *pêches Bourdaloue*, pochées dans un sirop vanillé, étaient servies entre une couche de crème frangipane et des macarons écrasés. Arrosées de beurre fondu, elles étaient glacées rapidement.

La recette rivale était dite *à la Cussy,* du nom d'un marquis gastronome qui ne dédaignait pas d'écrire à propos de la cuisine. Les demi-pêches y étaient prises en sandwich entre un gros macaron mou et une couche de meringue ; une sauce au kirsch les accompagnait.

Escoffier desserra sa main, laissa rouler le fruit de Montreuil sur la table. « *Des pêches Bourdaloue ? des pêches à la Cussy ?* » L'harmonie de son repas était pour un moment son seul souci. Il se décida pour une recette qu'il avait lui-même dédiée à la princesse Alexandra, la si belle épouse du prince de Galles : des demi-pêches, pochées dans un sirop à la vanille, recouvraient une glace à la vanille ; une purée de fraises, des pétales de roses rouges et blancs, un voile de sucre filé les surmontaient.

Escoffier confia ses fourneaux à son second et s'en fut à *Covent Garden* assister à une représentation de *Lohengrin*. Élégant parmi les élégants dans le parterre select des admirateurs de la Melba (la cantatrice), il passa une soirée qu'il qualifia de divine.

Nellie Melba était sublime dans le rôle d'Elsa de Brabant, accusée du meurtre de son frère Godefroi et demandant au Ciel de lui dépêcher un champion.

L'arrivée de Lohengrin, revêtu d'une armure étincelante, debout dans une nacelle tirée par un cygne, était saisissante. En changeant de couleur sous l'effet des projecteurs, l'oiseau évoluait pompeusement, sans rien perdre de sa grâce. Par moments rosé, bleuté, blanc ou transparent comme une vitre.

« *Un cygne en glace, quel piédestal pour un dessert ! L'apothéose de mon banquet !* » imagina soudain Escoffier. Le mélomane devenait cuisinier ; l'exaltation causée par les bois plaintifs accompagnant la prière d'Elsa et les violons éthérés annonçant Lohengrin, se doublait de réflexions pratiques.

Le dîner offert par le duc d'Orléans pour les interprètes de *Lohengrin* et son chef d'orchestre, eut lieu le lendemain. Un cygne sculpté au fer rouge dans un bloc de glace apparut au dessert. Enserré entre ses ailes, un compotier en cristal que de petites bougies faisaient scintiller, contenait des *pêches Alexandra,* à demi voilées par de blondes volutes de sucre filé. On applaudit. On demanda le maître pour le féliciter. Le duc prétendant au trône porta un toast à sa santé.

Le carillon de Westminster sonnait minuit. Escoffier monta dans l'ascenseur qui conduisait à son appartement. « *Il y a mieux à faire, se dit-il en entrant dans son lit. la purée de fraises est peut-être un peu acide. Par quoi la remplacer ?* »

Le lendemain, sitôt descendu en cuisine, il fit diverses tentatives, avec de la gelée de groseilles, de la marmelade d'abricots, de la confiture de cerises. Finalement l'alliance des pêches, de la glace à la vanille et d'un coulis de framboises lui parut plus qu'intéressante : décisive.

À midi, il découvrit sur le plateau de service que Mme Melba prendrait dans sa chambre un léger en-cas avant le spectacle : grillade, salade, petit dessert.

À dix-neuf heures, il parsema quelques amandes fraîches sur deux demi-pêches minutieusement préparées, les plaça sur le plateau destiné à la cantatrice, y adjoignit ce petit mot : « *Trouvez-vous une sensible amélioration ?* »

Il décacheta la réponse de la diva : « *Incomparable ! Pêches, framboises et vanille forment le seul ménage à trois convenable que je connaisse ! Quel est le nom de cette divine recette ?* »

Escoffier sourit. Il renvoya le groom à la diva. Dans un nouveau pli, celle-ci lut : « *Mystère ! Que fait Lohengrin quand Elsa le supplie de lui dire qui il est ? Il s'en va. Voyez à quels dangers on s'expose en cherchant à percer un secret !* » La prima donna australienne se dit que les Français étaient des gens vraiment très compliqués.

Le lendemain Escoffier fit quelques tours dans la salle à manger avant de se rapprocher de la table princière. Se penchant profondément en avant, il prononça distinctement :

– Une pê-che-Mel-ba !

Michel Gall, *Le Maître des Saveurs. La vie d'Auguste Escoffier*
© Éditions de Fallois, 2001

* * *

Compréhension du texte

1. Qui était Bourdaloue ?
2. Escoffier connaissait-il des recettes pour présenter les pêches ?
3. Escoffier était-il mélomane ?
4. À quelle représentation assiste-t-il ?
5. Quel détail lui a donné l'idée de présenter son dessert sous une forme nouvelle ?
6. Quel était le nom de la cantatrice principale ? De quel pays était-elle originaire ?
7. Escoffier a-t-il trouvé immédiatement la recette de la pêche Melba ?
8. À la suite de quelle anecdote a-t-il songé à donner à son dessert le nom de la cantatrice ?
9. Quel moyen a-t-il utilisé pour garder son secret jusqu'au dîner ?
10. À quel moment a-t-il révélé le nom de son dessert ?

Enrichissement lexical

1. Relevez dans ce texte tous les mots qui ont un rapport avec la pâtisserie. Si vous ne les connaissez pas, cherchez-les dans votre dictionnaire.
2. Que signifie la phrase : La Melba était *sublime* dans le rôle d'Elsa.
3. Qu'est-ce qu'un en-cas ?

Sensibilisation grammaticale

1. Quelle est la règle d'accord des noms employés avec demi ? Donnez des exemples.
2. Dans la phrase : Pêches, framboises et vanille forment le seul ménage à trois convenable *que je connaisse*. À quel temps est le verbe connaître ? Pourquoi ? Écrivez trois phrases sur le même modèle.

Travail écrit (au choix)

1. La cuisine est-elle une création ou au contraire le suivi d'une recette déjà éprouvée ? Donnez des exemples.
2. En dehors de toutes considérations financières, écrivez pourquoi vous aimeriez aller dans un grand restaurant.
3. Entre un restaurant français traditionnel et un Mac Do que choisissez-vous ? Expliquez pourquoi.
4. Aimez-vous faire la cuisine ou considérez-vous qu'il faut aller au plus vite et acheter des surgelés par exemple ou des frites en sachet ?

Travail oral

1. Exposé : certains grands cuisiniers en France ont une réputation mondiale. Faites une recherche pour vous renseigner sur les noms des plus prestigieux ainsi que sur quelques-unes de leurs spécialités.
2. Chacun explique une recette qu'il sait faire.

PARTIE III

Le roman autobiographique

Dans un roman autobiographique l'auteur insère des souvenirs personnels dans une histoire romancée.

Texte 9
L'arrivée d'Adrienne

Gérard de Nerval (1808-1855) a vécu dans son enfance parmi les paysages poétiques du Valois, au nord de Paris dans les environs de Chantilly. Il évoque ici, dans une nouvelle du recueil Les Filles du Feu *intitulé* Sylvie, *un souvenir d'enfance qui le touche particulièrement puisqu'il raconte ses émois devant les premières compagnes de sa jeunesse.*

* * *

J'étais le seul garçon dans cette ronde[1] où j'avais amené ma compagne, toute jeune encore, Sylvie, une petite fille du hameau voisin, si vive, si fraîche, avec ses yeux noirs, son profil régulier et sa peau légèrement hâlée ! Je n'aimais qu'elle, je ne voyais qu'elle – jusque-là ! À peine avais-je remarqué, dans la ronde où nous dansions, une blonde, grande et belle, qu'on appelait Adrienne. Tout d'un coup, suivant les règles de la danse, Adrienne se trouva placée seule avec moi au milieu du cercle. Nos tailles étaient pareilles. On nous dit de nous embrasser, et la danse et le chœur tournaient plus vivement que jamais. En lui donnant ce baiser, je ne pus m'empêcher de lui presser la main. Les longs anneaux roulés de ses cheveux d'or effleuraient mes joues. De ce moment, un trouble inconnu s'empara de moi. – La belle devait chanter pour avoir le droit de rentrer dans la danse. On s'assit autour d'elle ; et aussitôt, d'une voix fraîche et pénétrante, légèrement voilée comme celle des filles de ce pays brumeux, elle chanta une de ces anciennes romances pleines de mélancolie et d'amour qui racontent toujours les malheurs d'une princesse enfermée dans sa tour par la volonté d'un père qui la punit d'avoir aimé. La mélodie se terminait à chaque stance par ces trilles chevrotantes que font valoir si bien les voix jeunes quand elles imitent par un frisson modulé la voix tremblante des aïeules.

À mesure qu'elle chantait, l'ombre descendait des grands arbres, et le clair de lune naissant tombait sur elle seule, isolée de notre cercle attentif. – Elle se tut, et personne n'osa rompre le silence. La pelouse était couverte de faibles vapeurs condensées qui déroulaient leurs blancs flocons sur les pointes des herbes. Nous pensions être au paradis. Je me levai enfin, courant au parterre du château, où se trouvaient des lauriers plantés dans de grands vases de faïence peints en camaïeu. Je rapportai deux branches qui furent tressées en

---

1. Une danse pendant laquelle tous les enfants tournent en se donnant la main autour d'un autre à l'intérieur du cercle, en chantant : « Entrez dans la danse, Voyez comme on danse, Sautez, dansez, Embrassez qui vous voudrez. »
Quand il a embrassé un autre enfant de son choix, il se remet dans le cercle.

couronne et nouées d'un ruban. Je posai sur la tête d'Adrienne cet ornement, dont les feuilles lustrées éclataient sur ses cheveux blonds aux rayons pâles de la lune.

Gérard de Nerval, *Sylvie*, 1854

* * *

Compréhension du texte

1. Dans quelle région de France et à quel moment de la journée se passe cette scène ?
2. Quelle scène est-elle décrite ?
3. Pourquoi l'auteur admire-t-il Sylvie ?
4. Pourquoi est-il fasciné par Adrienne ?
5. Par quel geste lui manifeste-t-il son émotion ?
6. Quels sont les détails qui montrent que l'auteur est charmé par le chant intelligent et beau d'Adrienne ?
7. Relevez dans ce texte les jeux de lumière qui poétisent le personnage d'Adrienne.
8. Par quelle phrase l'auteur montre-t-il son extase ?
9. Quel est le geste qu'il invente pour honorer Adrienne ?
10. Quels sont les mots qui montrent qu'il est satisfait de son ornement ?

Idées principales du texte

Relevez les expressions qui montrent une progression dans l'analyse des sentiments.

Enrichissement lexical

a) Une stance = une strophe.
b) Des trilles = le battement régulier de deux notes proches.
c) Une peinture en camaïeu = en une seule couleur dont les tons varient.

Quels sont les adjectifs pour désigner
– une couleur unie
– sans couleur
– deux couleurs
– trois couleurs
– le drapeau de la France est…

Sensibilisation grammaticale

• À peine avais-je remarqué. Pourquoi ici une inversion du sujet et du verbe ?

• Relevez dans ce texte une expression de la simultanéité. Quelle remarque faites-vous sur le temps des verbes ?

Exprimez une simultanéité au présent.

Connaissez-vous d'autres expressions qui introduisent une simultanéité ?

Travail écrit (au choix)

1. Texte d'imitation : en vous rapprochant le plus possible du texte de Gérard de Nerval, racontez à votre tour un souvenir d'enfance.

2. Racontez un souvenir de votre enfance.

Travail oral (au choix)

1. Pour un enfant ou un adolescent, le jeu est-il un moyen de s'exprimer ? Trouvez des exemples.

2. L'importance du jeu dans l'enfance.

3. Pourquoi a-t-on toujours besoin de jouer ?

Texte 10
Un mauvais parcours scolaire

Marie Desplechin, une romancière contemporaine, met en vedette dans son roman autobiographique Sans moi, *une jeune fille désemparée qui se présente un jour chez elle pour garder ses enfants. Elle va prendre en pitié cette jeune fille qui n'a connu dans son enfance que des échecs scolaires.*

* * *

Olivia n'avait pas été une mauvaise élève. Elle avait même été plutôt brillante et de bonne volonté. Elle avait sans doute aimé l'école, sa bonne discipline et la joie que l'on trouve à apprendre. Il en restait des traces. Son orthographe, toujours logique à défaut d'être toujours exacte. Son application à s'asseoir à une table avant d'ouvrir le cahier de textes, et la satisfaction qu'elle éprouvait à ranger un cartable. Sa capacité à additionner, à soustraire, à opérer une règle de trois. J'aurais aimé retrouver ses instituteurs pour parler avec eux de la petite fille qu'elle avait été, et que j'imaginais à son image, joyeuse, bavarde et appliquée.

Les choses s'étaient gâtées plus tard. Au collège, elle s'était noyée dans le flot opaque des savoirs. Il n'y avait pas de bouée de sauvetage. Y en aurait-il eu une, elle n'aurait trouvé personne pour la lui lancer. Combien de temps faut-il pour désespérer un enfant ? Une semaine peut suffire. Un mois. Un an.

Olivia ne fit somme toute que ce que l'on attendait d'elle : elle cessa progressivement de venir aux cours. Rappelée à l'ordre, elle se montra insolente, puis insultante. S'ensuivit un conseil de discipline et puis un autre. Elle fut renvoyée, admise dans un collège plus éloigné. Elle tâta de l'internat. Elle essaya la fugue.

Elle dormit dans les fossés, elle vola au supermarché.

Après quatre ans de ce régime, tout le monde en avait marre, elle la première. Non qu'elle refusât d'apprendre, la question n'était plus là depuis longtemps. mais enfin chacun savait qu'elle avait perdu la guerre, on attendait qu'elle capitule.

C'est Olivia qui parle maintenant. (…) La directrice était assise derrière son bureau. À côté d'elle se tenait le prof de français. Peut-être parce qu'il n'y avait qu'en français que je m'intéressais encore un peu.

Mademoiselle Bernier, m'a dit, la professeur, vous n'avez pas voulu écouter nos conseils, vous avez refusé de vous plier aux règles de discipline qu'observent tous vos camarades, l'école n'est pas tenue de garder les jeunes en situation de rupture. Si nous avions deviné chez vous le plus petit, je veux dire le moindre désir de vous intégrer dans la communauté scolaire, nous aurions fait un effort, en dépit de vos lacunes qui sont immenses, insurmontables même, il faut en avoir conscience. C'est malheureusement impossible.

– De quoi c'est impossible ?

Je ne voulais pas leur répondre, mais je ne voyais personne d'autre à qui parler.

– Ce n'est pas moi qui est impossible, c'est l'école…

– Je vous en prie, n'aggravez pas votre cas. Le problème, vous m'entendez, le problème c'est que vous vous comportez comme une folle, et contre la folie, nous, je veux dire le corps enseignant, nous ne pouvons rien faire, n'est-ce pas madame, elle parlait à la directrice. Elle ne me parlait même pas à moi, je n'étais rien, pas même un chien…

Marie Desplechin, *Sans moi* © Éditions de l'Olivier/Éditions du Seuil, 1998

* * *

Compréhension du texte

1. Olivia a-t-elle toujours été une mauvaise élève ?
2. Quels sont les signes positifs dans ses études ?
3. A quel moment a-t-elle commencé à être une mauvaise élève ?
4. Quelqu'un a-t-il pu l'aider ?
5. Quelle faute dans sa scolarité a-t-elle été déterminante pour la suite de ses études ?
6. A-t-elle été interne ?
7. Pourquoi la directrice convoque-t-elle Olivia ?
8. Quelle raison met-elle en avant ?
9. Quelle est la réaction d'Olivia ?
10. Qu'est-ce qui la blesse le plus dans les paroles de la directrice ?

Enrichissement lexical

1. Que signifie la phrase : Elle s'était noyée dans le flot opaque des savoirs.
2. Qu'est-ce qu'une bouée de sauvetage dans ce contexte ?
3. Que signifie l'expression somme toute ? Employez-la à votre tour dans une phrase de votre choix.

Sensibilisation grammaticale

1. S'ensuivit un conseil de discipline… Quelle est la forme de s'ensuivit ?
2. Non qu'elle refusât d'apprendre, …mais chacun savait qu'elle avait perdu la guerre…

Quel est le temps de refusât ? Justifiez son emploi. Quelle relation logique cette expression implique-t-elle ? Faites trois phrases sur le même modèle.

Travail écrit (au choix)

1. Écrivez le portrait d'un mauvais élève.
2. Si vous étiez professeur, quelles seraient les valeurs qui vous paraîtraient essentielles pour faire progresser vos élèves ?
3. Racontez un souvenir positif d'un enseignement (ou d'un enseignant) qui vous a plu particulièrement

Travail oral

1. À votre avis quelles sont les causes principales de l'échec scolaire ?
2. Imaginez que vous ayez un point de grammaire de votre choix à expliquer à des élèves, comment vous y prendriez-vous pour les intéresser ?
3. Quand vous prenez conscience que vous avez des lacunes dans votre propre savoir, quels moyens prenez-vous pour y remédier ?

Texte 11
La joie de la lecture

Sur un terrain vague subsiste un clan de gitans indifférents à la société, à ses règles et à son confort. Leur existence est marquée par les naissances, les petites et les grandes fêtes. Les enfants reçoivent une instruction faible. Un beau jour, une jeune femme, déterminée et généreuse, mère de trois garçons d'un âge à peu près semblable à celui des petits gitans, se met en tête de faire découvrir la joie de la lecture aux enfants… Dans l'extrait que nous donnons, Esther revient pour la deuxième fois auprès des roulottes.

* * *

Esther revint le mercredi suivant à la même heure. Assemblés sur le petit trottoir qui bordait le terrain, les enfants regardaient passer les voitures. Les caravanes luisaient de rosée. Les filles parlaient encore d'Esther. Je me souviens jamais la tête qu'elle a la femme disait Anita à Mélanie. Mélanie chercha son souvenir. Elle a plein de cheveux, dit-elle. Elle ne parvenait pas à exprimer son idée. Elle ressemble à une gadjé[1] quoi, ajouta-t-elle finalement d'un ton bourru. Anita approuva de la tête. La fille aînée d'Héléna et de Simon, qui s'appelait Hana, sautillait d'un pied sur l'autre au-dessus d'un bout de corde. Parlez pas tout le temps d'elle, j'suis sûre qu'on la verra plus jamais, dit-elle en continuant de regarder ses pieds. On va voir, répondit sa petite sœur Priscilla avec cette voix d'oiseau qu'ont les fillettes. Moi j'espère qu'elle reviendra, dit Sandro. Ouais, dit Carla, j'aime bien l'histoire qu'elle a lue. Moi je comprends rien de ce qu'elle parle, dit Michaël qui était le plus jeune des cousins. Toi t'es bête ! lui lança sa sœur Carla. Celui qui le dit c'est lui qui l'est ! rétorqua le petit garçon. Ils essayaient de se donner des coups de pied dans les tibias. Brusquement ils se figèrent. La voiture jaune s'arrêtait à quelques mètres d'eux. La voilà ! dit Anita dans un souffle éteint par la stupéfaction. Tu t'es gourée[2] ! glissa Priscilla à l'oreille de sa sœur. La grande tira la langue, à toute vitesse, plissant tout son visage (un instant ce fut celui de la vieille femme qu'elle serait, mais personne ne le vit, car personne n'avait les yeux et l'âge qu'il faut pour voir cela).

Ils coururent s'agglutiner autour de leur grand-mère. La vieille riait, elle en profitait pour les embrasser. J'aime pas les baisers, disait Sandro. Il s'essuyait la joue en se tortillant sur ses jambes comme des allumettes. Grand bête ! dit Angéline et elle lui donna un gros

---

1. Terme employé par la communauté des gitans pour parler des non-gitans.
2. Expression populaire pour exprimer que l'on s'est trompé.

baiser sonore. Idiot ! lui répéta-t-elle. Esther s'approcha du groupe. Bonjour, dit-elle. Tu es là, dit la vieille, sacrée fille. Cela ne vous ennuie pas ? demanda Esther. Pouf ! fit la vieille. Son visage – hormis sa couleur dorée – semblait une pleine lune. Tu te débrouilles avec eux, dit-elle en montrant les enfants. Voulez-vous une autre histoire du roi des éléphants ? leur demanda Esther. Anita et Sandro approuvèrent de la tête, les autres se cachaient dans les jupes de la vieille.

Esther étendit la couverture sur le trottoir (un étroit rebord de bitume séparait la rue de la terre du potager). Ils s'assirent en se battant un peu, se poussant du coude, disant Je vois pas, partant de l'autre côté, essayant de se rasseoir plus près. Elle les installa, les petits à côté d'elle, les grands juste derrière. Et elle commença à raconter l'enfance de Babar. Elle lut comme jamais elle ne l'avait fait, même pour ses garçons : elle lut comme si cela pouvait tout changer. « Dans la grande forêt un petit éléphant est né. Il s'appelle Babar. Sa maman l'aime beaucoup. Pour l'endormir elle le berce avec sa trompe en chantant tout doucement. » Ça doit être mignon, dit l'une des fillettes. Très mignon confirma Esther en souriant avant de reprendre. Entre deux pages elle apercevait les visages sérieux des enfants. Ils étaient concentrés, inatteignables. Elle lut avec de la tendresse pour eux et de la foi dans les histoires. Et elle n'avait ni crainte ni question, est-ce que c'était artificiel, utile, naïf, stupide, de venir ainsi, sans prévenir, sans demander, pour lire des histoires à des enfants. Un élan la portait, elle lisait en mettant le ton, sans être jamais fatiguée de le mettre, sans se presser de finir comme elle faisait parfois quand elle couchait ses garçons. Elle lisait et le reste attendait. Le monde était évanoui, et morte ainsi sa dureté, et le froid des jours d'automne oublié lui aussi. D'ailleurs il se mit à pleuvoir quelques gouttes et personne ne bougea. Elle lut le livre jusqu'à la fin, et ce jour-là les enfants repartirent en criant des mercis. Esther apercevait les silhouettes des mères derrière les vitres de caravanes vers lesquelles ils couraient.

La fois suivante, Angéline vint. Elle prit le bras d'Esther et l'entraîna vers les caravanes :

– Viens, je te présente ma famille.

– Lulu ! Misia ! Simon ! Elle les appelait avec autorité. (…)

À partir de ce jour les parents se mirent à rôder autour d'Esther quand elle lisait. Les enfants n'y prêtaient pas attention : « …jusque longtemps après minuit, elle dansa et rit avec la pensée de la mort dans son cœur ». L'étrangeté des mots captivait les adultes autant que les petits. Esther ressentait un trouble à être ainsi observée. Lulu ne cessait pas de la dévisager quand elle levait les yeux vers lui. Et Simon était impressionnant avec ses longs cheveux noirs et ses joues entaillées de coups de rasoir. Il restait devant elle. Ses yeux rivés sur le livre ne bougeaient pas quand elle s'arrêtait de lire un instant pour l'observer, car c'était seulement le livre qu'il regardait et il ne la voyait pas. Lorsqu'elle s'interrompait trop longtemps, les enfants lui disaient : Allez ! lis ! lis ! Elle ne pouvait jamais savoir si à la fin il aurait laissé leurs regards se croiser. Maintenant tu lis ! disait

Michaël de sa petite voix. Et c'était ce qu'elle faisait. Elle lisait. « Et Johannes pleura, il n'avait plus personne au monde, ni père ni mère, sœur ou frère, pauvre Johannes ! » Elle allait dans les textes, un mot après l'autre, chaque phrase isolée, bien prononcée pour qu'ils ne manquent rien, qu'ils trouvent ce plaisir de croire à une histoire. À la fin Anita, la plus grande, demandait immanquablement : Mais c'est vrai ce truc ? Elle était troublée. Et les autres bêlaient après elle : Ha ! Ha ! t'es bête. Ils y croyaient.

Ainsi les livres arrivaient chaque mercredi matin en voiture. La Renault jaune d'Esther brinquebalait dans les fondrières. Les enfants couraient autour de la voiture. Lorsqu'elle avait fini de lire, les mères venaient vers Esther. L'une ou l'autre offrait le café.

Alice Ferney, Grâce et dénuement © Flammarion, 2004

* * *

Compréhension du texte

1. Pourquoi les enfants sont-ils figés en voyant arriver Esther ?
2. Quels changements Esther va-t-elle apporter dans leur vie ?
3. Esther est-elle rejetée par les adultes ? Expliquez et donnez des exemples.
4. À quoi voyez-vous qu'Esther prend très au sérieux ces moments de lecture pour les enfants ? Relevez les phrases qui montrent l'investissement d'Esther dans sa lecture.
5. Comment les enfants réagissent-ils à l'écoute des histoires ?
6. À votre avis, pourquoi Esther vient-elle dans ce camp de gitans pour lire des histoires aux enfants ?
7. Quels sont les passages qui montrent que c'est la grand-mère qui a l'autorité du groupe des gitans ?
8. Qui est Babar ? Le connaissez-vous ?
9. Pensez-vous qu'il soit important de s'inscrire dans une bibliothèque ? ou de lire ?
10. Avez-vous déjà lu des livres français en entier ? Lesquels ?

Enrichissement lexical

1. Expliquez les mots suivants : subsister, rétorquer, hormis, fondrière, brinquebalait, rosée.
2. Employez-les dans des phrases de votre choix.

Sensibilisation grammaticale

1. Voici quelques extraits du texte ci-dessus. Repérez les endroits incorrects grammaticalement, corrigez-les puis réécrivez ces phrases en entier.

– Je me souviens jamais la tête qu'elle a la femme, disait Anita à Mélanie. Mélanie chercha son souvenir.

– Parlez pas tout le temps d'elle, j'suis sûre qu'on la verra plus jamais, dit-elle en continuant de regarder ses pieds. On va voir répondit sa petite sœur Priscilla avec cette voix d'oiseau qu'on les fillettes. Moi, j'espère qu'elle reviendra, dit Sandro. Ouais, dit Carla, j'aime bien l'histoire qu'elle a lue. Moi je comprends rien de ce qu'elle parle, dit Michaël qui était le plus jeune des cousins. Toi t'es bête ! lui lança sa sœur Carla. Celui qui le dit c'est lui qui l'est ! rétorqua le petit garçon. Ils essayaient de se donner des coups de pied dans les tibias. Brusquement ils se figèrent. La voiture jaune s'arrêtait à quelques mètres d'eux. La voilà ! dit Anita dans un souffle éteint par la stupéfaction. Tu t'es gourée ! glissa Priscilla à l'oreille de sa sœur. La grande tira la langue, à toute vitesse, plissant tout son visage (un instant ce fut celui de la vieille femme qu'elle serait, mais personne ne le vit, car personne n'avait les yeux et l'âge qu'il faut pour voir cela).

Ils coururent s'agglutiner autour de leur grand-mère. La vieille riait, elle en profitait pour les embrasser. J'aime pas les baisers, disait Sandro.

2. Le plus-que-parfait exprime l'antériorité par rapport à un autre verbe au passé.

Lorsqu'elle avait fini de lire, les mères venaient vers Esther.

Écrivez trois phrases sur le même modèle. Une action doit être antérieure à l'autre.

Travail écrit

En France, selon l'Insee, 2,3 millions d'adultes sont en situation d'illettrisme. Ces personnes qui représentent 3,8 % de l'ensemble de la population française ont, pour la majorité d'entre elles, quitté le système scolaire trop tôt et souvent en situation d'échec. Pour ces hommes et ces femmes, la lecture et l'écriture demeurent une difficulté majeure qui handicape leur vie quotidienne.

De quelles manières, selon vous, pourrait-on lutter contre l'illettrisme ? Que pourrait-on faire pour aider ces hommes et ces femmes à acquérir les compétences linguistiques indispensables afin de vivre correctement dans une société où l'écrit tient aujourd'hui une place importante ?

Travail oral

1. À votre avis, est-il important de faire la lecture à de petits enfants ? Est-ce important pour leur développement intellectuel ? Expliquez, donnez des exemples.

2. Avez-vous déjà lu des contes ou des histoires à de jeunes enfants ? Quelles ont été leurs réactions ?

3. Quand vous étiez petit, on vous a certainement lu des histoires à haute voix. Comment perceviez-vous ces moments-là ? Si vous ne savez pas répondre, racontez-en une.

4. La lecture des contes développe-t-elle l'imagination des enfants ? Donnez des exemples.

Texte 12
La peine de mort

En France la peine de mort a été abolie le 9 octobre 1981. C'est sous l'impulsion d'un discours prononcé à l'Assemblée nationale par Robert Badinter que la loi sur l'abolition de la peine de mort a été votée. Mais depuis la fin du XVIIIe siècle, des hommes et des femmes se battent dans le monde contre ce châtiment barbare.

Victor Hugo (1802-1885), poète, romancier, auteur de théâtre, s'est toujours intéressé aux questions politiques et sociales. Dès les premières années de sa vie littéraire et jusqu'à la fin, il a lutté pour l'abolition de la peine de mort. Il a vingt-six ans quand il écrit en deux mois et demi ce roman, Le dernier jour d'un condamné. *Il avait assisté à une exécution capitale et en avait été particulièrement bouleversé.*

Albert Camus s'est inspiré de ce texte pour écrire le dernier épisode de L'Étranger.

* * *

…

Le condamné est emmené à la guillotine. Sur une charrette, il traverse la ville…

« Mais chaque cahot de la dure charrette me secouait. Puis tout à coup je me suis senti un grand froid. La pluie avait traversé mes vêtements, et mouillait la peau de ma tête à travers mes cheveux coupés et courts.

– Vous tremblez de froid, mon fils ? m'a demandé le prêtre.

– Oui, ai-je répondu.

– Hélas ! pas seulement de froid.

Au détour du pont, des femmes m'ont plaint d'être si jeune.

Nous avons pris le fatal quai. Je commençais à ne plus voir, à ne plus entendre. Toutes ces voix, toutes ces têtes aux fenêtres, aux portes, aux grilles des boutiques, aux branches des lanternes : ces spectateurs avides et cruels ; cette foule où tous me connaissent et où je ne connais personne ; cette route pavée et murée de visages humains… J'étais ivre, stupide, insensé. C'est une chose insupportable que le poids de tant de regards appuyés sur vous.

Je vacillais donc sur le banc, ne prêtant même plus d'attention au prêtre et au crucifix.

Dans le tumulte qui m'enveloppait, je ne distinguais plus les cris de pitié des cris de joie, les rires des plaintes, les voix du bruit ; tout cela était une rumeur qui résonnait dans ma tête comme dans un écho de cuivre.

Mes yeux lisaient machinalement les enseignes des boutiques.

Une fois, l'étrange curiosité me prit de tourner la tête et de regarder vers quoi j'avançais. C'était une dernière bravade de l'intelligence. Mais le corps ne voulut pas ; ma nuque resta paralysée et d'avance comme morte.

J'entrevis seulement de côté, à ma gauche, au-delà de la rivière, la tour de Notre-Dame, qui, vue de là, cache l'autre. C'est celle où est le drapeau. Il y avait beaucoup de monde, et qui devait bien voir.

Et la charrette allait, allait, et les boutiques passaient, et les enseignes se succédaient, écrites, peintes, dorées, et la populace riait et trépignait dans la boue, et je me laissais aller, comme à leurs rêves ceux qui sont endormis.

Tout à coup la série des boutiques qui occupait mes yeux s'est coupée à l'angle de la place ; la voix de la foule est devenue plus vaste, plus glapissante, plus joyeuse encore ; la charrette s'est arrêtée subitement, et j'ai failli tomber la face sur les planches. Le prêtre m'a soutenu. –Courage ! a-t-il murmuré. –Alors on a apporté une échelle à l'arrière de la charrette ; il m'a donné le bras, je suis descendu, puis j'ai fait un pas, puis je me suis retourné pour en faire un autre, et je n'ai pu. Entre les deux lanternes du quai, j'avais vu une chose sinistre.

Oh ! c'était la réalité !

Je me suis arrêté, comme chancelant déjà du coup.

– J'ai une dernière déclaration à faire ! ai-je crié faiblement.

On m'a monté ici.

J'ai demandé qu'on me laissât écrire mes dernières volontés. Ils m'ont délié les mains, mais la corde est ici, toute prête, et le reste est en bas.

Un juge, un commissaire, un magistrat, je ne sais de quelle espèce, vient de venir. Je lui ai demandé ma grâce en joignant les deux mains et en me traînant sur les deux genoux. Il m'a répondu, en souriant fatalement, si c'est là tout ce que j'avais à lui dire.

– Ma grâce ! ma grâce ! ai-je répété, ou, par pitié, cinq minutes encore !

Qui sait ? elle viendra peut-être ! Cela est si horrible, à mon âge, de mourir ainsi ! Des grâces qui arrivent au dernier moment, on l'a vu souvent. Et à qui fera-t-on grâce, monsieur, si ce n'est à moi ?

Cet exécrable bourreau ! il s'est approché du juge pour lui dire que l'exécution devait être faite à une certaine heure, que cette heure approchait, qu'il était responsable, que d'ailleurs il pleut, et que cela risque de se rouiller.

– Eh, par pitié ! une minute pour attendre ma grâce ! ou je me défends ! je mords !

Le juge et le bourreau sont sortis. Je suis seul.

– Seul avec deux gendarmes.

Oh ! l'horrible peuple avec ses cris d'hyène !

– Qui sait si je ne lui échapperai pas ? si je ne serai pas sauvé ? si ma grâce ? …Il est impossible qu'on ne me fasse pas grâce !

Ah ! les misérables ! il me semble qu'on monte l'escalier… »

Victor Hugo, *Le dernier jour d'un condamné*, 1829

* * *

Compréhension du texte

1. Pourquoi le « condamné » parle-t-il, au début de cet extrait, de fatal quai ?
2. Comment ressent-il le regard et l'attitude de la foule sur lui ?
3. Relevez quelques phrases qui traduisent le bruit de la foule.
4. Comment Victor Hugo illustre-t-il par son style le long parcours de la charrette ?
5. Trouvez quelques termes qui illustrent le mépris du condamné voire sa haine pour cette foule.
6. Relevez les termes qu'il utilise pour évoquer la guillotine.
7. Que réclame-t-il en dernière minute ?
8. À la fin du texte, quels sont les arguments du bourreau pour que l'exécution se fasse rapidement ?
9. De quand date l'abolition de la peine de mort en France ?
10. Quelle est votre opinion sur la peine de mort ?

Enrichissement lexical

1. Donnez le sens des mots suivants : le tumulte, une plainte, une rumeur, un écho, une enseigne, une hyène, vaciller, chanceler.
2. Employez chacun de ces mots dans une phrase de votre choix.

Sensibilisation grammaticale

1. Dans le texte on relève la phrase : La pluie avait traversé mes vêtements et mouillait la peau de ma tête. Quels sont les deux temps employés et justifiez leur emploi ?

2. Dans le texte, on relève la phrase suivante : J'ai demandé qu'on me laissât écrire mes dernières volontés.

   a) Quel est le temps du verbe principal et du verbe subordonné ? Pourquoi ne sont-ils pas au même temps ?

   b) Le verbe subordonné de cette phrase est-il un temps dont l'action se déroule après ou avant le verbe principal ?

   c) À votre tour construisez trois phrases selon cette même structure.

3. Dans le texte on relève la phrase : Qui sait si je ne lui échapperai pas. Quel est le sens de Qui sait si… ?

Écrivez trois phrases en utilisant cette construction.

Travail écrit

1. Une personne que vous connaissez est condamnée à la peine de mort pour un crime dont elle est probablement innocente. Écrivez au président de la République pour lui demander la grâce présidentielle.

2. Expliquez les raisons pour lesquelles vous êtes pour ou contre la peine de mort. Donnez des exemples pour soutenir votre point de vue.

Travail oral

Débat : diviser la classe en deux groupes et trouvez des arguments pour défendre vos idées.

   Groupe 1 : vous êtes pour la peine de mort.

   Groupe 2 : vous êtes contre la peine de mort.

PARTIE IV

Les mémoires

Les Mémoires[1] sont une relation écrite des événements auxquels une personne a participé.

---

1. Dans ce sens, « mémoires » est un mot masculin.

TEXTE 13

LE COURONNEMENT DE NAPOLÉON, LE 2 DÉCEMBRE 1804

Napoléon Bonaparte (1749-1821) a été général de la Révolution, puis Consul, avant de se faire couronner empereur. Il régna de 1804 à 1814.

Les mémoires constituent un genre littéraire particulier. Il s'agit d'une relation de souvenirs d'événements auxquels une personne a participé.

Le texte suivant fait partie de publications successives écrites par Constant, le valet de chambre de Napoléon, qui a partagé la vie intime de l'empereur pendant seize ans.

* * *

LE SACRE DE NAPOLÉON

Il y eut un intervalle d'une heure environ entre l'arrivée du pape à Notre-Dame et celle de Leurs Majestés. Leur départ des Tuileries se fit à onze heures précises et fut annoncé par de nombreuses salves d'artillerie. Leurs Majestés étaient dans une voiture tout éclatante d'or et de peintures précieuses, traînée par huit chevaux de couleur isabelle[1], carapaçonnés avec une richesse extraordinaire. Sur l'impériale[2] on voyait une couronne soutenue par quatre aigles, les ailes déployées[3]. Les panneaux de cette voiture, objet de l'admiration universelle, étaient en glace au lieu d'être en bois, de sorte que le fond ressemblait beaucoup au devant.

Je n'entreprendrai point la description du cortège, quoique les souvenirs que j'en ai gardés soient encore complets et récents ; mais j'aurais trop de choses à dire. Qu'on se figure dix mille hommes de cavalerie d'une superbe tenue, défilant entre deux haies d'infanterie aussi brillante, occupant chacune en longueur un espace de près d'une demi-lieue. Que l'on songe au nombre des équipages, à leur richesse, à la beauté des attelages et des uniformes, à cette multitude de musiciens jouant les marches du sacre au bruit des cloches et du canon ; qu'on ajoute l'effet produit par le concours de quatre à cinq cents mille spectateurs ; et l'on sera bien loin encore d'avoir une juste idée de cette étonnante magnificence.

---

1. Couleur jaune pâle.
2. Galerie sur le dessus d'une voiture.
3. L'aigle représentait à Rome la puissance de l'Empire. Napoléon adopta le même symbole. Son fils fut connu sous le nom de « L'Aiglon ».

...Toutes les rues par lesquelles passa le cortège étaient soigneusement nettoyées et sablées ; les habitants avaient décoré la façade de leurs maisons selon leur goût et leurs moyens, en draperies, en tapisseries, en papier peint, quelques-uns avec des guirlandes de feuilles d'if. Presque toutes les boutiques du quai des Orfèvres étaient garnies de festons en fleurs artificielles.

La cérémonie religieuse dura près de quatre heures, et dut être on ne peut plus fatigante pour les principaux acteurs.

Je n'ai peut-être jamais entendu d'aussi belle musique ; elle était de la composition de MM. Paesiello, Rose et Lesueur, maîtres de chapelle de Leurs Majestés ; deux orchestres à quatre chœurs, composés de plus de trois cents musiciens offraient une réunion des premiers talents de Paris.

Sa Majesté ne voulut point que le pape mît la main à sa couronne ; il la plaça lui-même sur sa tête. C'était un diadème de feuilles de chêne et de laurier en or. Sa majesté prit ensuite la couronne destinée à l'impératrice, et, après s'en être couvert quelques instants, la posa sur le front de son auguste épouse à genoux devant lui. Elle versait des larmes d'émotion, et, en se relevant, elle fixa sur l'empereur un regard de tendresse et de reconnaissance ; l'empereur le lui rendit, mais sans rien perdre de la gravité qu'exigeait une si imposante cérémonie devant tant de témoins ; et malgré cette gêne leurs cœurs se comprirent au milieu de cette brillante et bruyante assemblée.

...Après la messe, Son Excellence le cardinal Fesch, grand aumônier de France, porta le livre des évangiles à l'Empereur qui, du haut de son trône, prononça le serment impérial d'une voix si ferme et si distincte que tous les assistants l'entendirent. C'est alors que, pour la vingtième fois peut-être, le cri de « *Vive l'empereur !* » sortit de toutes les bouches.

Mémoires intimes de Napoléon Ier, par Constant, son valet de chambre

* * *

Compréhension du texte

1. Qui est arrivé le premier à Notre-Dame ? Le pape ou l'empereur ?

2. Quelle était la résidence de l'Empereur à Paris ?

3. Pouvez-vous décrire le carrosse de l'empereur ?

4. Combien de cavaliers escortaient le cortège impérial ?

5. Combien de spectateurs regardaient le passage du cortège ?

6. Le passage du cortège impérial s'est-il fait dans le silence ?

7. Comment ce jour-là les habitants de Paris avaient-ils montré leur attachement à l'empereur ?

8. Combien de temps la cérémonie a-t-elle duré?

9. Les musiciens étaient-ils nombreux?

10. Le pape a-t-il couronné l'empereur?

11. Quelle autre cérémonie a eu lieu après le couronnement?

Les idées du texte

Quel plan l'auteur a-t-il suivi pour la description de cet événement?

Enrichissement lexical

1. Qu'est-ce qu'une salve d'artillerie?

2. Qu'est-ce qu'un équipage? Connaissez-vous un autre sens à ce mot?

3. Que signifie l'expression on ne peut plus fatigante?

4. Le mot acteur est-il employé ici dans son sens habituel?

5. Relevez dans ce texte tous les mots qui relèvent du champ lexical du faste de l'Empire.

Sensibilisation grammaticale

1. Quelle nuance apporte l'expression quoique dans la phrase: Je n'entreprendrai point la description du cortège *quoique* les souvenirs que j'en ai gardés soient encore complets et récents, mais j'aurais trop de choses à dire.
Réécrivez cette phrase différemment en gardant le même sens.

2. Pourquoi dans la phrase: Sa Majesté ne voulut point que le pape mît la main à sa couronne, le verbe mît prend un accent circonflexe.

Travail écrit

Décrivez une cérémonie officielle à laquelle vous avez assisté dans votre pays.

Travail oral

• Que pensez-vous de cette cérémonie du sacre de Napoléon?

• Avez-vous déjà entendu parler de Napoléon dans votre pays? Que pensez-vous de ce personnage?

• Quelle est votre conception du pouvoir politique? Quel est pour vous le pouvoir politique idéal?

Texte 14
Mémoire d'Hector Berlioz

Hector Berlioz (1803-1869), musicien français, après avoir commencé des études de médecine se tourna bien vite vers la musique. Il est l'auteur de la Symphonie Fantastique, *de la* Damnation de Faust *et de bien d'autres œuvres à riche coloration orchestrale, aussi connues. Il a laissé ses mémoires, un document précieux écrit dans un style parfait qui sont un document capital pour la connaissance de la vie musicale au XIXᵉ siècle.*

* * *

Mon père (Louis Berlioz) était médecin[1]. Il ne m'appartient pas d'apprécier son mérite. Je me bornerai à dire de lui : il inspirait une très grande confiance, non seulement dans notre petite ville, mais encore dans les villes voisines. Il travaillait constamment, croyant la conscience d'un honnête homme engagée quand il s'agit de la pratique d'un art difficile et dangereux comme la médecine, et que, dans la limite de ses forces, il doit consacrer à l'étude tous ses instants, puisque de la perte d'un seul peut dépendre la vie de ses semblables. Il a toujours honoré ses fonctions en les remplissant de la façon la plus désintéressée, en bienfaiteur des pauvres et des paysans, plutôt qu'en homme obligé de vivre de son état. Un concours ayant été ouvert en 1810 par la société de médecine de Montpellier sur une question neuve et importante de l'art de guérir, mon père écrivit à ce sujet un mémoire qui obtint le prix. J'ajouterai que son livre fut imprimé à Paris et que plusieurs médecins célèbres lui ont emprunté des idées sans le citer jamais. Ce dont mon père, dans sa candeur, s'étonnait, en ajoutant seulement : « Qu'importe, si la vérité triomphe ! » Il a cessé d'exercer depuis longtemps, ses forces ne le lui permettant plus. La lecture et la méditation occupent sa vie maintenant.

Il est doué d'un esprit libre. C'est dire qu'il n'a aucun préjugé social, politique ni religieux. Il avait néanmoins si formellement promis à ma mère de ne rien tenter pour me détourner des croyances regardées par elle comme indispensables à mon salut, qu'il lui est arrivé plusieurs fois, je m'en souviens, de me faire réciter mon catéchisme. Effort de probité, de sérieux, ou d'indifférence philosophique, dont, il faut l'avouer, je serais incapable à l'égard de mon fils. (…)

---

1. Le docteur Louis Berlioz (1776-1848) n'était pas seulement un excellent praticien. Il expérimentait des techniques nouvelles et fut un des pionniers de l'hydrothérapie et de la transfusion ; il fut aussi le premier en Europe à pratiquer l'acupuncture.

J'avais dix ans quand il me mit au petit séminaire de La Côte pour y commencer l'étude du latin. Il m'en retira bientôt après, résolu à entreprendre lui-même mon éducation.

Pauvre père, avec quelle patience infatigable, avec quel soin minutieux et intelligent il a été ainsi mon maître de langues, de littérature, d'histoire, de géographie et même de musique ! (…)

Combien une pareille tâche, accomplie de la sorte, prouve dans un homme de tendresse pour son fils ! et qu'il y a peu de pères qui en soient capables ! Je n'ose croire pourtant cette éducation de famille aussi avantageuse que l'éducation publique, sous certains rapports. Les enfants restant ainsi en relations exclusives avec leurs parents, leurs serviteurs, et de jeunes amis choisis, ne s'accoutument point de bonne heure au rude contact des aspérités sociales ; le monde et la vie réelle demeurent pour eux des livres fermés ; et je sais à n'en pouvoir douter, que je suis resté à cet égard enfant ignorant et gauche jusqu'à l'âge de vingt-cinq ans.

Mon père, tout en n'exigeant de moi qu'un travail très modéré, ne put jamais m'inspirer un véritable goût pour les études classiques. L'obligation d'apprendre chaque jour par cœur quelques vers d'Horace et de Virgile m'était surtout odieuse. Je retenais cette belle poésie avec beaucoup de peine et une véritable torture de cerveau. Mes pensées s'échappaient d'ailleurs de droite et de gauche, impatientes de quitter la route qui leur était tracée. Ainsi je passais de longues heures devant des mappemondes, étudiant avec acharnement le tissu complexe que forment les îles, caps et détroits de la mer du Sud et de l'archipel Indien ; réfléchissant sur la création de ces terres lointaines, sur leur végétation, leurs habitants, leur climat, et pris d'un désir ardent de les visiter. Ce fut l'éveil de ma passion pour les voyages et les aventures.

(…) J'avais découvert, parmi de vieux livres, le traité d'harmonie de Rameau, commenté et simplifié par d'Alembert. J'eus beau passer des nuits à lire ces théories obscures, je ne pus parvenir à leur trouver un sens. (…) Et pourtant je voulais composer. Je faisais des arrangements de duos en trios et en quatuors, sans pouvoir parvenir à trouver des accords ni une basse qui eussent le sens commun. Mais à force d'écouter des quatuors de Pleyel exécutés le dimanche par nos amateurs, et grâce au traité d'harmonie de Catel, que j'étais parvenu à me procurer, je pénétrai enfin, et en quelque sorte subitement, le mystère de la formation et de l'enchaînement des accords. J'écrivis aussitôt une espèce de pot-pourri à six parties, sur les thèmes italiens dont je possédais un recueil. L'harmonie en parut supportable. Enhardi par ce premier pas, j'osai entreprendre de composer un quintette pour flûte, deux violons, alto et basse, que nous exécutâmes, trois amateurs, mon maître et moi.

Ce fut un triomphe. Mon père seul ne parut pas de l'avis des applaudisseurs. Deux mois après, nouveau quintette. Mon père voulut en entendre la partie de flûte, avant de me laisser tenter la grande exécution, selon l'usage des amateurs de province, qui s'imaginent pouvoir juger un quatuor d'après le premier violon. Je la lui jouai, et à une certaine phrase : « À la bonne heure, me dit-il, ceci est de la musique. » Mais ce quintette, beaucoup plus ambitieux que le premier, était aussi bien plus difficile ; nos amateurs ne purent parvenir à l'exécuter passablement. L'alto et le violoncelle surtout pataugeaient à qui mieux mieux.

J'avais à cette époque douze ans et demi[2].

Hector Berlioz, Mémoires, 1870

* * *

Compréhension du texte

1. Berlioz raconte son enfance. Comment s'appelle ce genre d'écrit ?

2. Qui était son père ? Comment Hector Berlioz, son fils, le décrit-il ?

3. Qu'a-t-il fait pour l'éducation de son fils ?

4. Quels sentiments, Berlioz avait-il pour son père ?

5. Comment juge-t-il l'éducation familiale qu'il a reçue ?

6. Jusqu'à quel âge s'est-il senti « gauche », maladroit ?

7. S'est-il passionné pour les études classiques ? Quelles étaient ses obligations quotidiennes et comment le vivait-il ?

8. Quels étaient, lors de ses études classiques, ses centres d'intérêts ?

9. Que fait-il pour se former à la composition musicale ?

10. À quel âge a-t-il véritablement commencé à composer ses premières partitions ?

Enrichissement lexical

Expliquez les mots ou les expressions suivantes : effort de probité, s'accoutumer, aspérité sociale, mappemonde, pot-pourri, à qui mieux mieux.

Sensibilisation grammaticale

1. Avoir beau + infinitif = (s'efforcer en vain)

Dans le texte, on relève : *J'eus beau* passer des nuits à lire je ne pus parvenir à leur trouver un sens.

---

2. Les deux quintettes datent probablement de 1818, ou peut-être du début de 1819. Berlioz avait donc quinze à seize ans, et non douze ans et demi.

Construisez quatre phrases de votre choix avec l'expression avoir beau + infinitif aux temps demandés :

    a) (imparfait) ➠ ....

    b) (passé simple) ➠ ....

    c) (futur) ➠ ....

    d) (présent) ➠ ....

2. Dans le texte, on relève la phrase suivante : Je faisais des arrangements de duos en trios et en quatuors, sans pouvoir parvenir à trouver des accords ni une basse qui **eussent** le sens commun.

    a) Quel est ce temps ?

    b) Écrivez la même phrase en langage oral. Quel temps employez-vous ?

    c) Conjuguez le verbe avoir au passé simple, subjonctif présent et subjonctif imparfait.

3. Complétez les verbes suivants au subjonctif imparfait :

    a) Elle était fière que son fils (être) .... le lauréat du concours.

    b) Depuis de nombreuses années elle faisait son possible pour que sa fille (obtenir) .... de bons résultats.

    c) Elle fut heureuse qu'il (venir) .... à sa rencontre.

    d) Il aurait fallu qu'il (prendre) .... la bonne route pour arriver à l'heure.

    e) J'aurais aimé qu'elle (choisir) .... ce parfum.

Travail écrit

• Racontez un souvenir de votre enfance avec une personne de votre famille. Justifiez ce souvenir en faisant le portrait psychologique de ce parent.

• La musique est-elle pour vous un langage universel, une détente, une joie, un ennui ? Expliquez pourquoi à l'aide d'exemples personnels.

Travail oral

1. Louis Berlioz est très attentif à l'éducation de son fils jusqu'à entreprendre lui-même son enseignement pour les études classiques et même musicales dans un premier temps. À votre avis, est-ce une bonne chose que les parents suivent de très près la scolarité de leurs enfants ? Ou vaut-il mieux leur laisser prendre seuls leurs responsabilités ?

2. Les études musicales vous paraissent-elles importantes dans une scolarité ?

Texte 15
La Libération de Paris

Si le général de Gaulle a été un grand militaire, un grand chef de guerre et un homme politique connu dans le monde entier, il a été aussi un grand écrivain. Ses Mémoires *sont pour les Français un document exceptionnel sur la deuxième guerre mondiale. Le texte que nous étudions aujourd'hui relate un des moments forts de la Libération de Paris le 25 août 1944, le défilé historique du général de Gaulle depuis l'Arc de Triomphe de l'Étoile, jusqu'à Notre-Dame.*

* * *

Au cours de la matinée, on me rapporte que de toute la ville et de toute la banlieue, dans ce Paris qui n'a plus de métro, ni d'autobus, ni de voitures, d'innombrables piétons sont en marche. À trois heures de l'après-midi, j'arrive à l'Arc de Triomphe. Je salue le régiment du Tchad, rangé en bataille devant l'Arc et dont les officiers et les soldats, debout sur leurs voitures me regardent passer devant eux à l'Étoile comme un rêve qui se réalise. Je ranime la flamme. Depuis le 14 juin 1940, nul n'avait pu le faire qu'en présence de l'envahisseur. Puis je quitte la voûte et le terre-plein. Les assistants s'écartent. Devant moi, les Champs-Élysées.

Ah ! C'est la mer ! une foule immense est massée de part et d'autre de la chaussée. Peut-être deux millions d'âmes. Les toits aussi sont noirs de monde. A toutes les fenêtres s'entassent des groupes compacts, pêle-mêle avec des drapeaux. Des grappes humaines sont accrochées à des échelles, des mâts, des réverbères. Si loin que porte ma vue, ce n'est qu'une houle vivante, dans le soleil, sous le tricolore.

Je vais à pied. Ce n'est pas le jour de passer une revue où brillent les armes et sonnent les fanfares. Il s'agit, aujourd'hui, de rendre à lui-même, par le spectacle de sa joie et l'évidence de sa liberté, un peuple qui fut, hier, écrasé par la défaite et dispersé par la servitude. Puisque chacun de ceux qui sont là, a dans son cœur, choisi Charles de Gaulle comme recours de sa peine et symbole de son espérance, il s'agit qu'il le voie, familier et fraternel, et qu'à cette vue resplendisse l'unité nationale.

(…) Je vais donc, ému et tranquille, au milieu de l'exultation indicible de la foule, sous la tempête des voix qui font retentir mon nom, tâchant à mesure, de poser mes regards sur chaque flot de cette marée afin que la vue de tous ait pu entrer dans mes yeux, élevant et abaissant les bras pour répondre aux acclamations. Il se passe, en ce moment, un de ces miracles de la conscience nationale, un de ces gestes de la France, qui parfois, au long des siècles, viennent illuminer, notre Histoire. Dans cette communauté, qui n'est qu'une seule pensée, un seul élan, un seul cri, les différences s'effacent, les individus disparaissent. Innombrables Français dont je m'approche tour à tour, à l'Étoile, au Rond-Point, à la Concorde, devant l'Hôtel de Ville, sur le parvis de la Cathédrale, si vous saviez comme vous êtes pareils ! Vous, les enfants, si pâles ! qui trépignez et criez de joie ; vous, les femmes, portant tant de chagrins, qui me jetez vivats et sourires ; vous, les hommes, inondés d'une fierté longtemps oubliée, qui me faites l'honneur de vos larmes, ah ! comme vous vous ressemblez ! Et moi, au centre de ce déchaînement, je me sens remplir une fonction qui dépasse de très haut ma personne, servir d'instrument au destin.

(…) Vers quatre heures et demie, je vais comme prévu entrer à Notre-Dame. Tout à l'heure, rue de Rivoli, je suis monté en voiture, et après un court arrêt sur le perron de l'Hôtel de Ville, j'arrive place du parvis… À l'instant où je descends de voiture, des coups de fusil éclatent sur la place. Puis aussitôt, c'est un feu roulant. Tout ce qui a une arme se met à tirer à l'envi… En ce qui me concerne, rien n'importe davantage que de ne point céder au remous. J'entre donc dans la cathédrale. Faute de courant, les orgues sont muettes. Par contre, des coups de feu retentissent à l'intérieur, tandis que je me dirige vers le chœur, l'assistance, plus ou moins courbée, fait entendre ses acclamations. Je prends place, ayant derrière moi, mes deux ministres. Les chanoines sont à leurs stalles… Le Magnificat s'élève. En fut-il jamais chanté de plus ardent ? Cependant, on tire toujours. Plusieurs gaillards, postés dans les galeries supérieures, entretiennent la fusillade. Aucune balle ne siffle à mes oreilles. Mais les projectiles, dirigés vers la voûte, arrachent des éclats, ricochent, retombent. Plusieurs personnes en sont atteintes.

Charles de Gaulle, *Mémoires de Guerre*, tome II © Éditions Plon, 1956

* * *

Compréhension du texte

1. Pourquoi des millions de Français se dirigent-ils vers l'Étoile ce jour-là ?
2. Pourquoi les soldats massés à l'Étoile regardent-ils le général de Gaulle comme un rêve ?
3. Que signifie ici la phrase : C'est la mer ?
4. Pourquoi le général de Gaulle choisit-il de descendre les Champs-Élysées à pied ?
5. De Gaulle parle d'un miracle de la conscience nationale. Que veut-il dire exactement ?
6. Que se passe-t-il au moment où le général de Gaulle arrive sur le parvis de Notre-Dame ?
7. Les grandes orgues de Notre-Dame se mettent-elles en mouvement au moment où le cortège pénètre dans la cathédrale ?
8. En quoi consiste la cérémonie ?

9. Pourquoi l'assistance est-elle plus ou moins courbée pendant la courte cérémonie ?

10. Connaissiez-vous déjà le récit de cette marche historique ? Racontez ce que vous en saviez.

Enrichissement lexical

1. Que signifie l'expression Je ranime la flamme ?
Connaissez-vous un autre sens au mot ranimer ? Donner ses synonymes.

2. Qu'est-ce que la houle ?
Donnez le nom des vents divers cités par les bulletins de météorologie à la radio ou à la télévision.
Donner quelques expressions avec le mot vent.

3. Que signifie l'expression : tirer à l'envi ?

Sensibilisation grammaticale

1. Pourquoi debout ne prend pas la marque du pluriel ?

2. Il s'agit qu'il le voie. Justifiez l'orthographe de ce verbe.

3. Faute de courant. Que signifie cette expression ? De quelle relation logique relève-t-elle ? Faites trois phrases dans laquelle elle sera utilisée.

Travail écrit

1. L'unité nationale était pour le général de Gaulle la base de la politique. Êtes-vous de cet avis ou pensez-vous que la diversité des opinions soit importante ? Défendez votre point de vue.

2. Y a-t-il des moments dans une nation où les citoyens se rapprochent particulièrement ? des moments où ils se divisent particulièrement ? Analysez-en quelques-uns à l'aide d'exemples.

Travail oral

Chacun raconte une cérémonie officielle dans son pays ou un événement important de l'histoire de son pays.

PARTIE V

La correspondance

Texte 16

Lettre de Vincent Van Gogh à son frère Théo

Vincent Van Gogh (1853-1890) est né en Hollande. Il est venu s'installer en France en 1888. Il vécut à Arles dans une misère noire les deux dernières années de sa vie, avant sa mort à Auvers-sur-Oise. Enthousiasmé par la beauté des paysages et la lumière éblouissante de la Provence, il connut alors une intense période de création.

* * *

Arles, mars 1888.

Mon cher Théo,

Je suis dans une rage de travail puisque les arbres sont en fleurs et que je voulais faire un verger de Provence d'une gaieté monstre. T'écrire à tête reposée présente des difficultés sérieuses, hier j'ai écrit des lettres que j'ai anéanties ensuite.

…J'ai trouvé une chose drôle comme je n'en ferais pas tous les jours. C'est le pont-levis avec petite voiture jaune et groupe de laveuses, une étude où les terrains sont orangé vif, l'herbe très verte, le ciel et l'eau bleus.

…Suis de nouveau en plein travail, toujours des vergers en fleurs. L'air d'ici me fait décidément du bien, je t'en souhaiterais à pleins poumons ; un de ses effets est assez drôle, un seul petit verre de cognac me grise ici ; donc n'ayant pas recours à des stimulants pour faire circuler mon sang, la constitution s'affaiblira quand même moins…

…J'ai un nouveau verger, qui est aussi bien que les pêchers roses, des abricotiers d'un rose très pâle. Actuellement je travaille à des pruniers d'un blanc jaune avec mille branches noires. J'use énormément de toiles et de couleurs, mais j'espère ne pas perdre de l'argent tout de même.

…Tu sais que je suis changeant et que cette rage de peindre des vergers ne durera pas toujours. Après ce sera possiblement les arènes. Puis j'ai énormément à dessiner car je voudrais faire des dessins dans le genre des crêpons[1] japonais. Je ne puis pas faire autrement que battre le fer quand il est chaud.

1. Dessins sur du papier gaufré.

Je serai éreinté après les vergers, car c'est des toiles 25, 30 et 20. Nous n'en aurions pas trop si je pouvais en abattre deux fois autant… Il me faut aussi une nuit étoilée avec des cyprès ou peut-être au-dessus d'un champ de blé mûr ; il y a des nuits fort belles ici ; j'ai une fièvre de travail continuelle.

Il faut arriver à ce que mes tableaux vaillent ce que je dépense et même l'excèdent, vu tant de dépenses faites déjà. Eh bien à cela nous arriverons. Tout ne me réussit pas, bien sûr, mais le travail marche. Jusqu'à présent, tu ne t'es pas plaint de ce que je dépense ici, mais je t'avertis que si je continue mon travail dans les mêmes proportions, j'ai bien du mal à arriver. Seulement le travail est excessif.

S'il arrive un mois ou une quinzaine où tu te sens gêné, avertis-moi, dès lors je me mets à faire des dessins, et cela nous coûtera moins. C'est pour te dire qu'il ne faut pas te forcer sans cause, ici il y a tant à faire, de toutes sortes d'études, que c'est pas la même chose qu'à Paris, où l'on ne peut pas s'asseoir où l'on veut. Jusqu'à présent, j'ai dépensé plus pour mes couleurs, toiles, etc., que pour moi. J'ai encore un nouveau verger pour toi, mais au nom de Dieu, fais-moi parvenir la couleur sans retard. La saison des vergers en fleurs est si passagère, et tu sais que ces motifs sont de ceux qui égaient tout le monde.

Suis sans le sou pour le moment, comme déjà je te le disais.

Ce matin j'ai travaillé à un verger de pruniers en fleurs, tout à coup il a commencé à faire un vent formidable ; un effet que je n'avais jamais vu qu'ici, et qui revenait par intervalles. Entre-temps du soleil qui faisait étinceler toutes les petites fleurs blanches.

C'était tellement beau ! Mon ami le Danois est venu me rejoindre, et aux risques et périls à chaque moment de voir tout le tremblement par terre ai continué à peindre. Il y a dans cet effet blanc beaucoup de jaune avec du bleu et du lilas, le ciel est blanc et bleu. Mais la facture de ce qu'on fait ainsi dehors, qu'en diront-ils ? Enfin attendons.

* * *

Compréhension du texte

1. Qui écrit à qui ? De quel endroit ?

2. Pourquoi Van Gogh a-t-il tellement envie de peindre ?

3. Quel est son sujet préféré à ce moment ? Pourquoi ?

4. L'écriture est-elle pour lui une occupation naturelle ?

5. Quels sont les arbres fruitiers que Van Gogh a envie de peindre ?

6. Quels sont les sujets de tableaux évoqués dans cette lettre ?

7. Est-il riche ? Pourquoi ?

8. Pourquoi dit-il qu'il est plus facile de peindre en Provence qu'à Paris ?

9. Le mistral (vent violent qui souffle dans la vallée du Rhône) empêche-t-il le peintre de travailler en plein air ?

10. De qui s'agit-il quand van Gogh écrit : Qu'en diront-ils ?

Les idées exprimées dans cette lettre

Dégagez de ce texte les quatre idées essentielles.

Enrichissement lexical

1. Relevez dans ce texte tous les mots qui forment le champ lexical de la peinture.

2. Qu'est-ce qu'une gaîté monstre ? Connaissez-vous une phrase du langage familier dans laquelle on emploie facilement cet adjectif ?

3. Qu'appelle-t-il sa constitution ?

4. Que signifie le proverbe « Il faut battre le fer quand il est chaud » ?

5. De quel mot vient le verbe étinceler ? Ce mot peut-il avoir un autre sens dans le langage parlé ?

6. Que désigne-t-il par tout le tremblement par terre ?

Sensibilisation grammaticale

1. Relevez les mots qui montrent que Van Gogh écrit une lettre en langage familier.

2. Quel est le temps du verbe vaillent ? Pourquoi est-il à ce temps ?

3. Que signifie la locution dès lors ? Écrivez une phrase où dès lors sera employé dans le même sens.

4. Que signifie le mot vu (tant de dépenses faites).

Travail écrit

1. Dans une lettre précédente à son frère Théo, Van, Gogh écrit : « Je ne connais pas de meilleure définition du mot art que celle-ci : *L'art c'est l'homme ajouté à la nature.* » Comment comprenez-vous cette expression ? Pouvez-vous donner quelques exemples pour l'illustrer ?

2. Écrivez une lettre à quelqu'un que vous connaissez pour lui raconter que vous avez visité une exposition de peinture (ou une ville avec de beaux monuments).

Travail oral

1. Que savez-vous sur Van Gogh ?

2. Quel type de peinture aimez-vous ?

3. Quel est votre peintre ou votre école de peinture préférée ?

4. Visitez-vous de temps en temps des expositions de peinture ou des musées ?

5. Quels sont les sujets de peinture que vous préférez ? Pourquoi ?

Texte 17

Lettre de Mme de Sévigné à sa fille Mme de Grignan

La marquise de Sévigné (1626-1696) est considérée comme la grande épistolière de la France. Son souvenir est encore très vivant au musée Carnavalet qui était son hôtel particulier. Veuve à vingt-cinq ans, elle partageait sa vie entre la Cour à Paris et son château de Grignan dans la Drôme. Grâce à son énorme correspondance on a pu reconstituer une bonne partie des événements à la cour de Louis XIV. Sa grande correspondante a été sa fille qui habitait en Provence et qu'elle tenait au courant de tout.

En 1671, au cours d'un voyage en Avignon, Mme de Grignan faillit être noyée en traversant le Rhône. Le fameux pont d'Avignon avait été rompu deux ans auparavant. Il fallait traverser le Rhône en barque ce qui était particulièrement dangereux les jours de mistral où le vent précipitait les fragiles embarcations sur les vestiges des arches.

* * *

Ah! ma bonne[1], quelle lettre! quelle peinture de l'état où vous avez été! et que je vous aurais mal tenu ma parole, si je vous avais promis de n'être point effrayée d'un si grand péril! Je sais bien qu'il est passé. Mais il est impossible de se représenter votre vie si proche de la fin, sans frémir d'horreur. Et M. de Grignan vous laisse conduire la barque; et quand vous êtes téméraire, il trouve plaisant de l'être encore plus que vous; au lieu de vous faire attendre que l'orage fût passé, il veut bien vous exposer, et vogue la galère! Ah mon Dieu! qu'il eût été bien mieux d'être timide, et de vous dire que, si vous n'aviez point eu de peur, il en avait, lui, et ne souffrirait point que vous traversassiez le Rhône par un temps comme celui qu'il faisait! Que j'ai de la peine à comprendre sa tendresse en cette occasion! Ce Rhône qui fait peur à tout le monde! Ce pont d'Avignon où l'on aurait tort de passer en prenant de loin toutes ses mesures! Un tourbillon de vent vous jette violemment sous une arche! Et quel miracle que vous n'ayez pas été brisée et noyée dans un moment! Ma bonne, je ne soutiens pas cette pensée, j'en frissonne, et m'en suis réveillée avec des sursauts dont je ne suis pas la maîtresse. Trouvez-vous toujours que le Rhône ne soit que de l'eau? De bonne foi, n'avez-vous point été effrayée d'une mort si proche et si inévitable? Avez-vous trouvé ce péril d'un bon goût? Une autre fois, ne

---

1. C'est ainsi qu'elle appelait affectueusement sa fille. Maintenant on dirait « ma chérie ».

serez-vous point un peu moins hasardeuse[2] ? Une aventure comme celle-là ne vous fera-t-elle point voir les dangers aussi terribles qu'ils sont ? Je vous prie de m'avouer ce qui vous en est resté ; je crois du moins que vous avez rendu grâce à Dieu de vous avoir sauvée.

Mme de Sévigné, Correspondance. Lettre du 4 mars 1671 (extrait)

* * *

Compréhension du texte

1. Qui écrit à qui ? De quoi s'agit-il ?

2. Pourquoi écrit-elle Quelle lettre !

3. Pourquoi parle-t-elle de tenir sa parole ?

4. Mme de Sévigné a-t-elle de l'admiration pour son gendre ?

5. Par quel temps ont-ils traversé le Rhône ?

6. Quelles sont les mesures à prendre avant de traverser un fleuve en bateau ?

7. Cet événement empêche-t-il rétrospectivement Mme de Sévigné de dormir ?

8. Pensez-vous qu'il y ait eu auparavant une discussion entre Mme de Sévigné et sa fille à propos de la traversée du Rhône ?

9. Mme de Sévigné pense-t-elle que cet incident aura servi de leçon à sa fille et qu'elle sera plus prudente à l'avenir ?

10. Quel conseil lui donne-t-elle sous une forme discrète ?

Enrichissement lexical

1. Que signifie l'expression : Et vogue la galère ? Connaissez-vous d'autres moyens d'exprimer la même idée ?

2. Relevez dans ce texte toutes les expressions du champ lexical de la peur.
   Qu'est-ce que : l'angoisse, l'appréhension, la panique, l'inquiétude ?

Sensibilisation grammaticale

1. …au lieu de vous faire attendre que l'orage *fût passé*.

   …qu'il *eût été* bien mieux d'être timide.

Dans ces deux phrases, par quels autres verbes de forme plus courante peut-on remplacer les verbes en italique ? Est-ce le même mode ?

2. La plupart des phrases de ce texte sont à la forme exclamative. Pourquoi ?

---

2. Imprudente

Travail écrit

Écrivez la lettre que Mme de Grignan envoie à sa mère pour lui conter sa traversée du Rhône. Comme elle, vous exagérerez un peu les dangers pour lui faire peur et vous vous moquerez à l'avance des réactions excessives qu'elle attend de sa mère.

Travail oral

1. Chacun à tour de rôle raconte un danger qu'il a couru un jour et dont il s'est sorti miraculeusement.
2. Vaut-il mieux courir un danger et vivre des sensations fortes ou rester tranquillement à la maison sans prendre aucun risque ?

PARTIE VI

Journal intime

Le Journal intime est la relation quotidienne des événements vécus. Contrairement à l'autobiographie qui peut utiliser les mêmes événements pour des lecteurs, le Journal reste en principe personnel, non destiné à la publication.

Texte 18

Euthanasie, parité, dopage, problèmes de notre temps

Françoise Giroud (1916-2002) est une journaliste très connue en France car elle a été une pionnière dans la presse. féminine. Elle a participé à la fondation de la revue Elle *et a fondé en 1953 avec Jean-Jacques Servan-Schreiber l'hebdomadaire* l'Express. *Socialiste, elle a joué un rôle politique quand François Mitterrand était président de la République. Elle a été secrétaire d'État à la condition féminine de 1974 à 1976, puis ministre de la Culture en 1976-1977. Elle a tenu régulièrement son journal qui nous donne, avec des années de recul, un regard passionné sur les grands problèmes auxquels la France de la fin du XXᵉ siècle s'est heurtée.*

* * *

Mercredi 13 janvier

Un appel, signé par plus de cent trente personnes, parmi lesquelles de grands noms, a été publié dans la presse et fait quelque bruit. Les signataires, dont je suis, déclarent qu'ils ont pratiqué l'euthanasie ou qu'ils sont prêts à le faire, et souhaitent que le Parlement s'empare de ce problème.

France-Inter et RTL me demandent d'en parler. Je le fais le plus brièvement possible. C'est une question grave dont on ne peut pas traiter par des oui et des non. Le sûr est que les cas d'aide au suicide dans les hôpitaux, pratiqués avec compassion sur de grands malades qui la demandent au bout de la souffrance, ne sont pas rares. Mais ces médecins tombent sous le coup de la loi.

« Ne touchez pas à la loi…, dit-on ici et là. Laissons les choses en l'état, et fermons les yeux. »

Cette attitude est troublante. La France est un État de droit. Fermer les yeux sur ce qui est décrété d'autre part coupable relève d'une étrange morale.

« Dépénaliser ? disent les autres. Surtout pas ! D'abord, on risque des abus. Et puis, pensez aux médecins, au personnel hospitalier qui déploient tant d'efforts pour prolonger la vie et auxquels on demandera de l'abréger. C'est le contraire de leur vocation ! »

Tout cela est vrai. C'est pourquoi, si le principe de l'aide au suicide était accepté, il faudrait qu'il s'accompagne de grandes précautions, d'une demande formelle écrite de la main du malade, et réitérée dans tous les cas. Et nul médecin ne pourrait fournir cette aide contre sa conscience.

La question, il faut le répéter, est grave. Il s'agit de rien de moins que de pouvoir choisir sa propre mort. Interrogés par sondage, les Français se déclarent à une ample majorité favorables à l'aide au suicide. Cependant, il faut prendre cette réponse avec précaution : c'est celle de personnes qui ne sentent pas la mort rôder autour de leur lit… Parce que j'ai vécu, de tout près, les derniers jours d'un grand malade incurable, suppliant qu'on lui épargne davantage de souffrances et de dégradation, j'ai signé « l'appel des 130 ».

Lundi 15 février

Parité : cela barde ! Deux camps antagonistes se sont formés parmi les femmes de quelque notoriété, qui ne s'adressent pas que des propos aimables. Le premier défend âprement l'amendement à la Constitution que soutient le gouvernement, celui qui tend à « favoriser l'égal accès des femmes », etc., etc. L'autre s'insurge contre une disposition qui inscrirait dans la constitution l'existence de deux catégories de Français, les femmes et les hommes, alors qu'il n'y a que des citoyens.

Dans ce second camp, Robert Badinter, sénateur, suggère une troisième voie : imposer aux partis politiques de présenter un nombre égal de femmes et d'hommes aux fonctions électives. Ce serait le bon sens. On verra cette semaine s'il a une chance de triompher dans un climat électrique.

Mardi 11 mai

Coup de filet géant dans le monde cycliste : une série de coureurs populaires sont convaincus de dopage. Le très aimé Richard Virenque, qui s'en est toujours farouchement défendu, est passé aux aveux. On va pleurer dans les chaumières. Et cela, à deux mois du Tour de France…

Un curieux personnage apparaît en filigrane dans cette triste histoire, un homme que l'on appelle « docteur » mais qui ne l'est pas, très connu dans le milieu depuis longtemps, espèce de gourou qui injectait aux cyclistes des piqûres dont il avait le secret, et soignait de la sorte toute une clientèle. Il avait déjà fait parler de lui il y a quelques années. Cette fois, il semble bien que l'édifice du dopage soit ébranlé.

Françoise Giroud, *C'est arrivé hier* © Librairie Arthème Fayard, 2000

* * *

Compréhension du texte

1. Ces textes sont-ils vraiment un journal intime ?
2. Quels sont les thèmes abordés ?
3. Qu'est-ce que l'euthanasie ?
4. Quelle est l'expression qu'elle emploie pour nommer l'euthanasie ? Cette expression vous semble-t-elle juste ?
5. Pourquoi certaines personnes pensent-elles qu'il ne faut surtout pas dépénaliser cet acte ?
6. Que s'est-il passé deux mois avant le Tour de France 1999 ?
7. Qu'est-ce que le dopage ?
8. Qu'est-ce que la parité ?
9. Quels sont les arguments des deux camps antagonistes à propos de la parité ?
10. Que suggère Robert Badinter ? Et qu'en pensez-vous ?

Enrichissement lexical

1. Qu'est-ce qu'un appel dans le sens employé dans le texte ? Connaissez-vous des expressions où le mot appel a un autre sens ?
2. Que signifient les expressions :
   • laisser les choses en l'état,
   • un coup de filet géant,
   • cela va faire pleurer dans les chaumières.
3. Qu'est-ce qu' un amendement à la constitution ?
4. Que signifie l'expression : Cela barde ?

Sensibilisation grammaticale

LES VERBES IMPERSONNELS

1. Il semble et il me semble.
Dans le texte, on relève : Il semble bien que l'édifice du dopage soit ébranlé.
Pourquoi le verbe être est-il au subjonctif ?
Réécrivez cette même phrase en mettant il me semble à la place de il semble.

Sur ces modèles, terminez les phrases suivantes :
1. Il semble que ....
2. Il me semble que ....

3. Il semble que ....

4. Il me semble que ....

2. Indicatif ou subjonctif ?

Écrivez des phrases avec trois verbes impersonnels qui amènent l'indicatif et trois verbes impersonnels qui amènent le subjonctif.

Travail écrit

Notez chaque jour dans un cahier et pendant une semaine un événement tiré soit de l'actualité, soit de votre vie et commentez-le en quelques lignes à chaque fois sous forme de journal.

Travail oral

Trois sujets importants à discuter en groupes ou sous forme de trois exposés différents.

    1. L'euthanasie. Qu'en pensez-vous ? Donnez des arguments.

    2. La parité. Qu'en pensez-vous ? Donnez des arguments.

    3. Le dopage.

Texte 19

Les premiers Salons de l'Agriculture

Eugène Delacroix (1798-1863) est l'un des plus célèbres peintres du XIXe siècle, qui fut très jeune le chef de file du romantisme.

Chaque année se tient à Paris, à la Porte de Versailles le salon de l'Agriculture qui attire de plus en plus de visiteurs. De toutes les régions de France arrivent des vaches, des bœufs, des moutons etc. De nombreux stands présentent des spécialités alimentaires de toutes les provinces ainsi que les machines agricoles les plus perfectionnées.

En 1856, eut lieu le concours Agricole universel au palais de l'Industrie. L'événement fut un grand sujet de conversations pour les Parisiens, étonnés de voir en leur ville tant d'animaux venus de nombreux pays lointains ainsi que les premières machines agricoles. Eugène Delacroix s'en fait l'écho dans son Journal.

* * *

6 juin . J'ai été hier, en sortant de l'Hôtel de Ville, voir la fameuse Exposition agricole. Toutes les têtes sont tournées ; on est dans l'admiration de toutes ces belles imaginations ; machines à exploiter la terre ; bêtes de tous les pays amenées à un concours fraternel de tous les peuples : pas un petit-bourgeois qui, sortant de là, ne se sache un gré infini d'être né dans un siècle si précieux. J'ai éprouvé pour mon compte la plus grande tristesse au milieu de ce rendez-vous bizarre ; ces pauvres animaux ne savent ce que veut cette foule stupide ; ils ne reconnaissent pas les gardiens de hasard qu'on leur a donnés. Quant aux paysans qui ont accompagné leurs bêtes chéries, ils sont couchés près de leurs élèves, lançant sur les promeneurs désœuvrés des regards inquiets, attentifs à prévenir les insultes ou les agaceries impertinentes qui ne leur sont pas ménagées.

Le plus simple bon sens eût suffi pour convaincre de l'inutilité de cette réunion, avant qu'on ne l'ait effectuée. La vue même de ces animaux si divers de forme et de propriétés suffira-t-elle pour convaincre de la folie qu'il y aurait à les transplanter, à les isoler des conditions dans lesquelles ils se sont développés et de l'influence du climat natal ? La nature a voulu qu'une vache fût petite en Bretagne et grande en Écosse. Était-il bien nécessaire d'assembler de si loin et dans un lieu, ces naïfs ?

En entrant dans cette exposition des machines destinées à labourer, à ensemencer, à moissonner, je me suis cru dans un arsenal et au milieu de machines de guerre… La complication de ces instruments contraste singulièrement avec l'innocence de la destination ; quoi ! cette effroyable machine armée de crocs et de pointes, hérissées de lames tranchantes, est destinée à donner à l'homme son pain de tous les jours ! La charrue, que je m'étonne de ne pas voir placée parmi les constellations, ne sera plus qu'un instrument tombé dans le mépris ! Le cheval aussi a fait son temps ! À d'insatiables désirs, il faut des moyens.

Ces petites machines à vapeur, avec leurs pistons, leur balancier, leur gueule enflammée, sont les chevaux de la future société. L'affreux et lugubre tintamarre de ces roues !

Laissez à la Hongrie ces bœufs affligés de cornes, dont ils ne savent que faire ; à quoi bon dans nos plaines ces vaches descendues des Alpes de la Suisse ? ces bœufs avec cornes ou sans cornes, de climats, de constitutions diverses, qui réclament une nourriture particulière et des soins ?

Quant à ces légumes poussés à une humidité et une chaleur factices, laissez-les aux curieux d'Argenteuil[1] comme l'idéal de l'asperge et du navet, plus propres à étonner la vue qu'à réjouir l'appétit ; tous ces petits parterres venus là pour la circonstance, semblables à ces forêts que les enfants improvisent en plantant des branches en terre.

Journal de Delacroix

* * *

Compréhension du texte

1. Delacroix comprend-t-il la nécessité du progrès en agriculture ?
2. Pourquoi dit-il : Toutes les têtes sont tournées ?
3. Relevez une phrase qui montre du mépris et de l'ironie.
4. Quelles sont les réactions des visiteurs face aux paysans ?
5. Pourquoi attache-t-il tant d'importance à la charrue primitive ?
6. Que pense-t-il des machines agricoles modernes ?
7. Que dit-il des légumes poussés en serre ?
8. Que sont ces petits parterres ?
9. Ces réunions lui semblent-elles utiles ?
10. Quelle est son opinion sur les races des vaches ?

---

1. Les asperges d'Argenteuil poussées en serre étaient très appréciées.

Enrichissement lexical

1. Ne sache un *gré* infini… Quel est le sens du mot en italique ? Donnez quelques expressions où ce mot sera employé.

2. Donnez le sens de ces expressions contenant le mot cheval.
   Avoir une fièvre de cheval.
   Être à cheval sur les principes.
   Monter sur ses grands chevaux.
   Être à cheval sur deux professions.
   Cela ne se trouve pas sous les pieds d'un cheval.

Sensibilisation grammaticale

1. Le plus simple bon sens eût suffi… Quel est ce temps ? Par quel verbe peut-on le remplacer ?

2. Que signifie l'expression : Quant à…

Travail écrit

En 1856, Delacroix parle déjà des légumes poussés à une humidité et une chaleur factices. À notre époque où presque tous les légumes poussent dans ces conditions étudiées à l'extrême, dites comment vous appréciez ce mode de culture. Êtes-vous pour la nourriture « bio » ou pensez-vous que cela n'a pas d'importance ? Justifiez votre point de vue.

Travail oral

- Avez-vous déjà visité le salon de l'Agriculture ou un concours agricole ; racontez ce que vous avez vu ou ce qui vous a frappé.
- Les expositions ou les salons (salon de l'Automobile par exemple) vous paraissent-ils importants dans notre monde actuel ?

PARTIE VII

Essai

L'essai est une forme littéraire qui consiste à écrire
librement ses réflexions sur différents sujets.
Il est en général écrit au présent.

TEXTE 20

Baudelaire (1821-1867) est un des poètes français les plus célèbres du XIXe siècle. Traumatisé par les événements familiaux de son enfance, la mort de son père et le remariage de sa mère, il a gardé toute sa vie un goût pour la solitude et une angoisse morbide devant l'impuissance créatrice. Les petits poèmes en prose sont des textes courts, poétiques ; ils font souvent preuve d'un certain rejet du monde et de ses conventions. en même temps qu' « une supériorité aristocratique de l'esprit ».

* * *

LES FOULES

Il n'est pas donné à chacun de prendre un bain de multitude : jouir de la foule est un art ; et celui-là seul peut faire, aux dépens du genre humain, une ribote de vitalité, à qui une fée a insufflé dans son berceau le goût du travestissement et du masque, la haine du domicile et la passion du voyage.

Multitude, solitude, termes égaux et convertibles pour le poète actif et fécond. Qui ne sait pas peupler sa solitude, ne sait pas non plus être seul dans une foule affairée.

Le poète jouit de cet incomparable privilège, qu'il peut à sa guise être lui-même et autrui. Comme ces âmes errantes qui cherchent un corps, il entre, quand il veut, dans le personnage de chacun. Pour lui seul, tout est vacant ; et, si certaines places paraissent être fermées, c'est qu'à ses yeux elles ne valent pas la peine d'être visitées.

Le promeneur solitaire et pensif tire une singulière ivresse de cette universelle communion. Celui-là qui épouse facilement la foule connaît des jouissances fiévreuses, dont seront éternellement privés l'égoïste, fermé comme un coffre, et le paresseux, interné comme un mollusque. Il adopte comme siennes toutes les professions, toutes les joies et toutes les misères que la circonstance lui présente.

Ce que les hommes nomment amour est bien petit, bien restreint et bien faible, comparé à cette ineffable orgie, à cette sainte prostitution de l'âme qui se donne tout entière, poésie et charité, à l'imprévu qui se montre, à l'inconnu qui passe. (…)

Baudelaire, *Petits poèmes en prose. Le Spleen de Paris*, 1860

* * *

Compréhension du texte

1. Comment faut-il comprendre : Jouir de la foule est un art ?

2. Qui est capable de jouir de la foule dans la solitude ? Pourquoi ?

3. Pourquoi multitude et solitude sont-ils des termes égaux et convertibles ?

4. Pourquoi le poète souffre-t-il moins que les autres de la solitude ?

5. Que signifie : pour lui seul tout est vacant ?

6. Qu'est-ce que : l'universelle communion ?

7. Pourquoi l'égoïste et le paresseux sont-ils fermés au monde ?

8. Le promeneur solitaire est-il heureux ?

9. Le mot ivresse vous paraît-il approprié ?

10. Qu'est-ce que cette sainte prostitution de l'âme ?

Les idées principales du texte

Ce texte comporte cinq paragraphes. Énoncez les cinq idées développées.

Enrichissement lexical

1. Apprenons quelques mots nouveaux :
    • une ribote de vitalité = un excès joyeux de vitalité
    • le travestissement = le déguisement
    • une foule affairée = une foule très occupée et pressée
    • à sa guise = comme il veut

2. Les expressions.

• Il n'est pas donné à chacun…
    a) Que signifie cette expression ?
    b) Employez-la dans un autre contexte.

• Une fée a insufflé dans son berceau…
    a) Que signifie cette expression ?
    b) À quel conte bien connu ce texte fait-il allusion ?

Sensibilisation grammaticale

Que signifie le qui en tête de la phrase : *Qui* ne sait pas peupler sa solitude…

Travail écrit (au choix)

1. En rassemblant les idées principales exprimées dans ce texte écrivez un essai sur les bienfaits de la solitude dans une multitude.
2. Préférez-vous une promenade seul à la campagne ou seul dans une foule ?

Travail oral

Discutez en groupe le sujet suivant : dans quelles conditions la solitude peut-elle être créatrice, ou destructrice ?

Texte 21
L'espace public

* * *

À marcher dans la ville, librement, un pas après l'autre, sans que rien sinon son propre gré interrompe le mouvement, l'on prend possession de ce qui porte un si beau nom : l'espace public. Celui qui appartient à tous, habitants ou étrangers, à vous donc, à moi, celui où il n'y a jamais de barrière fermée, ni de jour ni de nuit, le lieu du mélange, de la rencontre, de l'accélération ou de la flânerie, de l'arrêt à sa convenance, du défilé, de la manifestation, de la fête. Les rues, les trottoirs, les places, les halles, les monuments, les emplacements des fontaines, la statuaire appartiennent à ceux qui en usent au moment où ils en usent. Mendiants errants, étudiants, gens modestes qui ne peuvent s'offrir le café ou le restaurant les investissent pour se reposer ou casser la croûte. Hier, à Paris, devant l'Institut ; sur une marche, un plan à la main, des touristes soulageaient leurs pieds, d'autres un peu plus loin se désaltéraient, beaucoup mangeaient un sandwich ou un chiche-kebab ou des parts de pizza en marchant lentement. Des errants dorment, leur barda pour oreiller. Personne n'a le droit de les dérober aux regards. Les villes qui s'y sont essayées par des arrêtés ont vu leurs arrêtés annulés. Ouf ! L'espace public est bien public. Il est de tous, sans distinction. C'est pourquoi la foule y coule, y tresse des itinéraires à diverses vitesses, s'infiltre partout où elle peut, envahit ce qui lui est imparti. D'un peu haut, depuis un immeuble, du sommet d'un monument, de l'avion proche de l'atterrissage on voit les hommes aller de façon désordonnée à travers l'immuable. À côté de la régularité des feux, des sens de la circulation, de la perspective des rues, de la verticalité immobile des murs, leur déambulation aventureuse crée la vie. C'est les hommes qui justifient la cité.

Marie Rouanet, *Dans la douce chair des villes* © Payot et Rivages, 2000

* * *

Compréhension du texte

1. Quelle est l'idée générale de ce texte ?

2. En quoi une ville est-elle un espace de liberté ?

3. Dans quels lieux peut-on se reposer dans une ville ?

4. Qui peut dormir dans l'espace public qu'est une ville ?

5. Certaines villes ont-elles fait des lois pour qu'il n'y ait pas de mendiants dans la rue ?

6. Les touristes ont-ils l'impression que la ville leur appartient à eux aussi ?

7. Quel est le comportement de la foule dans une ville ?

8. La foule a-t-elle des espaces qui lui sont réservés ?

9. Est-ce que dans une ville il y a des quartiers réservés à certaines catégories de la population ?

10. De quels points de vue comprend-on le mieux une ville ?

Enrichissement lexical

1. Qu'est-ce qu'une flânerie ? un errant ? un barda ? l'immuable ?

2. Donner des synonymes du mot un arrêté.

Sensibilisation grammaticale

1. Par quelle autre tournure peut-on remplacer à marcher ?

2. Quel est le temps de interrompe ? Justifiez son emploi.
Écrivez trois phrases avec la même construction.

Travail écrit (au choix)

1. Décrivez une ville que vous aimez.

2. Jusqu'à quel point peut-on dire qu'une ville est vraiment un espace public ?

Travail oral

Aimez-vous mieux flâner en ville ou à la campagne ? Chacun s'exprime à tour de rôle en justifiant son point de vue par des exemples.

Texte 22

La musique est-elle fugitive ?

* * *

Il y a une différence fondamentale entre la manière dont la musique glisse au fil du temps qui passe, et la façon dont les arts plastiques et la littérature s'y installent et y demeurent. Quand Delacroix peignait *Les trois Glorieuses* ou son *Dante*, quand Rodin sculptait son *Balzac* ou ses *Bourgeois de Calais*, la peinture de Léonard de Vinci, celle de Boucher et celle de Rubens étaient toujours présentes, elles existaient quelque part, et Delacroix comme Rodin le savaient : ils n'avaient qu'à aller au Louvre, ils y trouvaient Mona Lisa peinte par le premier, Mlle O'Murphy par le second et Maris de Médicis par le troisième. Les peintures de toutes les époques avaient la même qualité d'existence, même celles qu'on aimait pas, même celles qu'on dédaignait. De la même manière, Victor Hugo écrivant *Les Contemplations* et Balzac enfermé pour concocter *La Rabouilleuse* n'avaient qu'à ouvrir un livre, qu'ils avaient certainement dans leur bibliothèque, pour retrouver Villon[1], La Fontaine[2], Chénier[3], Shakespeare[4] et Cervantes[5]. En pleine querelle d'*Hernani*[6], on jouait encore Molière et même Racine : et Musset pouvait, s'il le voulait, passer « une soirée perdue » au Théâtre-Français[7].

Or, à la même époque, on ne jouait guère Bach, pas du tout Vivaldi, encore moins Monteverdi. Berlioz, lorsqu'il composait *L'Enfance du Christ*, pouvait voir dans les églises et dans les musées mille *Nativités* : il ne pouvait pas entendre, il ne pouvait même pas déchiffrer la partition de *l'Oratorio de Noël*[8], manuscrite et bien oubliée dans quelque bibliothèque d'Allemagne. Pour composer les *Troyens*, il pouvait relire l'*Enéide*[9], il aurait

---

1. François Villon, poète français (1431-1463).
2. Jean de la Fontaine, poète français (1621-1695).
3. André Chénier, poète français (1762-1794).
4. William Shakespeare, poète dramatique anglais (1564-1616).
5. Miguel de Cervantès Saavedra, écrivain espagnol (1547-1616).
6. *Hernani, ou l'honneur castillan*, drame en 5 actes et en vers de Victor Hugo. La première représentation donnée le 21 février 1830, devenue historique, fut le prétexte d'une véritable bataille entre les classiques et les romantiques.
7. Allusion à un poème de Musset intitulé *Une soirée perdue au Théâtre Français*.
8. Oratorio de Jean-Sébastien Bach.
9. Poème épique de Virgile.

pu, s'il en avait eu l'envie, contempler Didon peinte par Rubens, par Véronèse ou par Tiepolo : mais il ne pouvait pas entendre ni compulser *Didon et Enée* de Purcell.

La différence tient à la permanence de la présence physique et concrète de l'œuvre d'art, et à l'immatérialité de la musique. L'œuvre d'art perdure. La musique s'efface aussitôt jouée. Quelle que soit l'action destructrice du temps, les œuvres d'architecture, les reliefs sculptés, les peintures elles-mêmes, bien que fragiles, restent présentes aux yeux des hommes. Leur goût peut changer, ils peuvent cesser d'aimer ce qu'ont fait leurs ancêtres, ils peuvent même détester leur manière de faire et de sentir, ils ne peuvent pas nier que les générations passées aient construit, peint et sculpté. On ne détruit pas les villes à chaque génération pour les rebâtir à neuf. L'architecte de la cathédrale d'Autun, au XIIᵉ siècle, voyait à cinq cents mètres de son chantier des ruines romaines, et il ne s'est pas privé d'en imiter les cannelures sur les pilastres de son propre édifice. David pouvait honnir Boucher, on n'avait pas brûlé ses tableaux. Stendhal pouvait traiter le Bernin de « père du mauvais goût », la colonnade de Saint-Pierre était toujours debout et les fontaines continuaient à couler sur la Piazza Navone et celle de Trevi.

La musique, elle, n'existe que quand on la joue. Elle n'apparaît que si on l'aime assez pour se donner le mal de la chanter ou de prendre son violon. Une musique qui ne plaît plus, qui n'émeut plus, qui n'a plus de fonction, disparaît, tout simplement, sans laisser de trace ou à peu près, même si elle est bonne, même si elle est géniale.

C'est pourquoi l'histoire de la musique est discontinue, ou du moins elle l'a été jusqu'à une date récente. Chaque génération édifiait sa musique sur le silence des générations précédentes. Chacune effaçait l'autre : non par mauvais sentiments, par volonté de détruire, mais tout simplement par l'oubli. C'est pourquoi la musique a toujours été « moderne ». Il n'y avait pas, il n'y avait jamais eu de « musique ancienne ». Celle qui aurait pu l'être n'existait plus.

Le regard que portaient sur les « musiques d'autrefois » les rares musiciens qui avaient la curiosité ou le goût de se pencher sur elles est significatif. Ou bien ils les considéraient d'un œil condescendant, dédaigneux ou railleur, ou bien, quand certains d'entre eux, qui sont comme par hasard les plus grands, s'intéressaient à une belle composition, ils manifestaient un étonnement qui nous amuse aujourd'hui. Carl Philip Emmanuel Bach, parlant des *Duos* pour violon et clavecin de son père, écrit à Forkel : « Ils sonnent encore aujourd'hui fort bien et me font grand plaisir, bien qu'ils aient été composés il y a plus de cinquante ans. » Cet *encore* et ce *bien que* pleins de surprise et d'admiration signifient, si nous savons l'entendre : quel génie était donc feu mon père, que sa musique puisse être encore bonne cinquante ans après ! François Couperin est bien ambigu, lui aussi, quand il parle de ses propres ancêtres (c'est-à-dire son père, ses oncles…) : « C'est à quoi mes ancêtres se sont appliqués, indépendamment de la belle composition de leurs pièces : j'ai tâché de perfectionner leurs découvertes. Leurs ouvrages seront toujours plus admirables qu'imitables. Ils sont encore du goût de ceux qui l'ont exquis… » Son *encore* rejoint celui de Carl Philip Emmanuel, et sonne comme son *bien que.*

C'est le grand silence des œuvres antérieures qui constitue toute l'histoire de la musique jusqu'aux environ de 1800. Au temps de Vivaldi, Cavalli n'est plus rien. Monteverdi s'est évanoui. Et Vivaldi mort, ce musicien réputé, adulé, s'efface à son tour. Les quelques rares exemples d'une musique qui ait survécu à son auteur sont liés à une institution. Allegri était oublié, mais le *Miserere* d'Allegri[10] continuait sa carrière à la chapelle Sixtine, où Mozart enfant l'entendit. Lully et Haendel ont été joués après leur mort, mais dans le cadre d'une sorte de fonction quasi rituelle et royale.

C'est le XIXᵉ siècle qui va faire perdre à la musique ce caractère toujours fugitif. L'œuvre musicale va cesser alors de s'évanouir avec la résonance de son dernier accord et de disparaître avec le compositeur. Beethoven et Schubert vont continuer à être joués après leur mort, comme si leur musique était neuve (…)

(…) et c'est pourquoi même après cent ans, les musiques postérieures à 1800 ne seront jamais qualifiées de « musique ancienne ». Toute musique, à partir de cette date, est musique pour toujours.

Or exactement au même moment on commence, en sens inverse, à remonter la chaîne du temps. Deux éditeurs, l'un à Zurich et l'autre à Bonn, éprouvent le besoin, la même année 1801, de publier le *Clavecin bien tempéré*[11], cinquante ans après la mort de l'auteur : on n'avait jamais vu cela que pour des grands poètes. L'année suivante, simultanément à Zurich, à Bonn, à Paris et à Vienne, paraissent *Les Sonates* pour violon et des pièces d'orgue[12], et cette même année 1802 voit la première biographie de Bach par Forkel.

C'est comme si ce tournant du siècle était un pivot autour duquel se construit une nouvelle relation à la création musicale. D'un côté, la musique s'inscrit désormais dans la durée, et de l'autre, par un mouvement symétrique, on part à la découverte de ce qu'on va appeler, puisqu'elle l'est en effet, « la musique ancienne ».

Philippe Beaussant, *Vous avez dit « baroque »?* © Actes Sud, 1988.

* * *

Compréhension du texte

1. Pourquoi l'auteur compare-t-il la musique à la littérature, la peinture et la sculpture ? Que veut-il démontrer ?

2. Citez deux œuvres de Delacroix, deux œuvres de Rodin, deux œuvres de Victor Hugo mentionnées dans le texte.

---

10. Le *Miserere* d'Allegri fut composé pour 9 voix et deux chœurs. Le pape de l'époque en avait interdit la copie sous peine d'excommunication. Mozart enfant l'entendit une seule fois et le transcrivit de mémoire.

11. Œuvre de Jean-Sébastien Bach.

12. Il s'agit encore de J.-S. Bach.

3. Citez deux œuvres de Jean-Sébastien Bach, deux œuvres de Berlioz citées dans le texte.

4. Pourquoi Berlioz n'a-t-il jamais entendu l'Oratorio de Noël de Jean-Sébastien Bach ou encore *Didon et Enée* de Purcell ?

5. Pourquoi les générations de musiciens avant l'époque romantique ne jouaient-ils pas les œuvres de leurs ancêtres ?

6. À partir de quelle période les compositeurs ne vont-ils plus tomber dans l'oubli ?

7. Que va-t-il se passer d'important pour l'histoire de la musique à partir de 1801 ?

8. Qui est le premier biographe de Jean-Sébastien Bach ?

9. Quelle est l'œuvre que Mozart enfant entendit jouer à la chapelle Sixtine et quel en est le compositeur ?

10. Quels regards les musiciens baroques avaient-ils sur les œuvres de leurs aînés ?

Enrichissement lexical

Expliquez les mots ou expressions suivantes :
• La musique glisse au fil du temps qui passe.
• L'œuvre d'art perdure.
• Déchiffrer une partition

Sensibilisation grammaticale

EXPRESSION DE LA CONCESSION

Il y a concession quand un obstacle s'oppose normalement à l'action principale mais ne parvient pas à l'empêcher. On en a un exemple dans la phrase :

Quelle que soit l'action destructrice du temps, les œuvres d'architecture, les reliefs sculptés, les peintures elles-mêmes, *bien que* fragiles, restent présentes aux yeux des hommes.

1. Où est la concession dans la phrase suivante ?

« Ils sonnent encore aujourd'hui fort bien et me font grand plaisir, bien qu'ils aient été composés il y a plus de cinquante ans. »

Écrivez trois phrases simples avec bien que et avec quel(le) que soit…

Travail écrit

Choisissez un artiste français (peintre, musicien, sculpteur…) ou un écrivain non contemporain que vous appréciez. Faites une recherche approfondie dans des livres, sur Internet ou en bibliothèque, etc. sur ce personnage et sur son œuvre.

Écrivez pourquoi vous avez fait ce choix, présentez sa biographie, son époque, parlez d'une ou deux œuvres de lui ou d'elle que vous avez appris à aimer et dites pourquoi.

Travail oral

Aimez-vous la musique ? Quel genre de musique. Expliquez pourquoi. Chacun parle à tour de rôle.

Texte 23
Grammaire et Humour

Erik Orsenna est né en 1947. Homme politique et romancier, il a obtenu le Prix Goncourt en 1988. Après avoir vu ses enfants ânonner sur des règles de grammaire, il a voulu écrire un livre pour montrer combien la grammaire française pouvait être vivante et belle, « un joyeux terrain de jeu », comme il le dit lui-même. Ce conte grammatical a déjà fait l'objet de quinze traductions.

* * *

Vous êtes comme moi, j'imagine, avant mon arrivée dans l'île. Vous n'avez connu que des mots emprisonnés, des mots tristes, même s'ils faisaient semblant de rire. Alors il faut que je vous dise : quand ils sont libres d'occuper leur temps comme ils le veulent, au lieu de nous servir, les mots mènent une vie joyeuse. Ils passent leurs journées à se déguiser, à se maquiller et à se marier.

Du haut de ma colline, je n'ai d'abord rien compris. Les mots étaient si nombreux. Je ne voyais qu'un grand désordre. J'étais perdue dans cette foule. J'ai mis du temps, je n'ai appris que peu à peu à reconnaître les principales tribus qui composent le peuple des mots. Car les mots s'organisent en tribus, comme les humains. Et chaque tribu a son métier.

Le premier métier, c'est de désigner les choses. Vous avez déjà visité un jardin botanique ? Devant toutes les plantes rares, on a piqué un petit carton, une étiquette. Tel est le premier métier des mots : poser sur toutes les choses du monde une étiquette, pour s'y reconnaître. C'est le métier le plus difficile. Il y a tant de choses et des choses compliquées et des choses qui changent sans arrêt ! Et pourtant, pour chacune il faut trouver une étiquette. Les mots chargés de ce métier terrible s'appellent les *noms*. La tribu des noms est la tribu principale, la plus nombreuse. Il y a des noms-hommes, ce sont les masculins, et des noms-femmes, les féminins. Il y a des noms qui étiquettent les humains : ce sont les prénoms. Par exemple, les Jeanne ne sont pas des Thomas (heureusement). Il y a des noms qui étiquettent les choses que l'on voit et ceux qui étiquettent des choses qui existent mais qui demeurent invisibles, les sentiments par exemple : la colère, l'amour, la tristesse… Vous comprenez pourquoi dans la ville, au pied de notre colline, les noms pullulaient. Les autres tribus de mots devaient lutter pour se faire une place.

Par exemple, la toute petite tribu des *articles*. Son rôle est simple et assez inutile, avouons-le. Les articles marchent devant les noms, en agitant une clochette : attention, le nom qui me suit est un masculin, attention, c'est un féminin ! Le tigre, la vache.

Les noms et les articles se promènent ensemble, du matin jusqu'au soir. Et du matin jusqu'au soir, leur occupation favorite est de trouver des habits ou des déguisements. À croire qu'ils se sentent tout nus, à marcher comme ça dans les rues. Peut-être qu'ils ont froid, même sous le soleil. Alors ils passent leur temps dans les magasins. Les magasins sont tenus par la tribu des *adjectifs*.

Observons la scène, sans faire de bruit (autrement, les mots vont prendre peur et voleter en tous sens, on ne les reverra plus avant longtemps).

Le nom féminin « maison » pousse la porte, précédé de « la », son article à clochette.

– Bonjour, je me trouve un peu simple, j'aimerais m'étoffer.

– Nous avons tout ce qu'il vous faut dans nos rayons, dit le directeur en se frottant déjà les mains à l'idée de la bonne affaire.

Le nom « maison » commence ses essayages. Que de perplexité ! Comme la décision est difficile ! Cet adjectif-là plutôt que celui-ci ? La maison se tâte. Le choix est si vaste. Maison « bleue », maison « haute », maison « fortifiée », maison « alsacienne », maison « familiale », maison « fleurie » ? Les adjectifs tournent autour de la maison cliente avec des mines de séducteur, pour se faire adopter.

Après deux heures de cette drôle de danse, la maison ressortit avec le qualificatif qui lui plaisait le mieux : « hanté ». Ravie de son achat, elle répétait à son valet article :

– « Hanté », tu imagines, moi qui aime tant les fantômes, je ne serai plus jamais seule. « Maison », c'est banal. « Maison » et « hanté », tu te rends compte ? Je suis désormais le bâtiment le plus intéressant de la ville, je vais faire peur aux enfants, oh comme je suis heureuse !

– Attends, l'interrompit l'adjectif, tu vas trop vite en besogne. Nous ne sommes pas encore accordés.

– Accordés ? Que veux-tu dire ?

– Allons à la mairie. Tu verras bien.

– À la mairie ! Tu ne veux pas te marier avec moi, quand même ?

– Il faut bien, puisque tu m'as choisi.

– Je me demande si j'ai eu raison. Tu ne serais pas un adjectif un peu collant ?

– Tous les adjectifs sont collants. Ca fait partie de leur nature.

Thomas, à mes côtés, suivait ces échanges avec autant de passion que moi. L'heure avançait, sans que nous songions à déjeuner. L'intérêt du spectacle avait fait taire les appels de nos estomacs. D'autant que, devant la mairie, on s'agitait. L'heure des mariages allait sonner, que nous ne voulions manquer sous aucun prétexte.

À vrai dire, c'étaient de drôles de mariages.

Plutôt des amitiés. Comme dans les écoles d'autrefois, quand elles n'étaient pas mixtes. Au royaume des mots, les garçons restent avec les garçons et les filles avec les filles.

L'article entrait par une porte, l'adjectif par une autre. Le nom arrivait le dernier. Ils disparaissaient tous les trois. Le toit de la mairie me les cachait. J'aurais tout donné pour assister à la cérémonie. J'imagine que le maire devait leur rappeler leurs droits et leurs devoirs, qu'ils étaient désormais unis pour le meilleur et pour le pire.

Ils ressortaient ensemble se tenant par la main, accordés, tout masculin ou tout féminin : le château enchanté, la maison hantée… Peut-être qu'à l'intérieur le maire avait installé un distributeur automatique, les adjectifs s'y ravitaillaient en « e » final pour se marier avec un nom féminin. Rien de plus docile et souple que le sexe d'un adjectif. Il change à volonté, il s'adapte au client.

Certains, bien sûr, dans cette tribu des adjectifs, étaient moins disciplinés. Pas question de se modifier. Dès leur naissance, ils avaient tout prévu en se terminant par « e ». Ceux-là se rendaient à la cérémonie les mains dans les poches. « Magique », par exemple. Ce petit mot malin avait préparé son coup. Je l'ai vu entrer deux fois à la mairie, la première avec « ardoise », la seconde avec « musicien ». Une ardoise magique (tout féminin). Un musicien magique (tout masculin). « Magique » est ressorti fièrement. Accordé dans les règles mais sans rien changer. Il s'est tourné vers le sommet de ma colline. J'ai l'impression qu'il m'a fait un clin d'œil : tu vois, Jeanne, je n'ai pas cédé, on peut être adjectif et conserver son identité.

Charmants adjectifs, indispensables adjoints ! Comme ils seraient mornes, les noms, sans les cadeaux que leur font les adjectifs, le piment qu'ils apportent, la couleur, les détails…

Et pourtant, comme ils sont maltraités !

Je vais vous dire un secret : les adjectifs ont l'âme sentimentale. Ils croient que leur mariage durera toujours… C'est mal connaître l'infidélité congénitale des noms, de vrais garçons, ceux-là, ils changent de qualificatifs comme de chaussettes. À peine accordés, ils jettent l'adjectif, retournent au magasin pour en chercher un autre et, sans la moindre gêne, reviennent à la mairie pour un nouveau mariage.

La maison, par exemple, ne supportait sans doute plus ses fantômes. En deux temps, trois mouvements, elle préféra soudain « historique ». « Historique », « maison historique », vous vous rendez compte, pourquoi pas « royale » ou « impériale » ? Et le malheureux adjectif « hantée » se retrouva seul à errer dans les rues, l'âme en peine, suppliant qu'on veuille bien le reprendre : « Personne ne veut de moi ? J'ajoute du mystère à qui me choisit : une forêt, quoi de plus banal qu'une forêt sans adjectif ? Avec "Hantée", la moindre petite forêt sort de l'ordinaire… »

Hélas pour « hantée », les noms passaient sans lui jeter un regard.

C'était à serrer le cœur, tous ces adjectifs abandonnés.

Erik Orsenna, *La grammaire est une chanson douce* © Éditions Stock, 2002

* * *

Compréhension du texte

1. Que font les mots, lorsqu'ils sont libres ?

2. Dans le texte, quelles sont les principales tribus des mots ?

3. Quel est le métier de la tribu des noms ?

4. Quel est le rôle de la tribu des articles ?

5. Que font les noms et les articles du matin jusqu'au soir ?

6. Quelles difficultés les noms rencontrent-ils avec les adjectifs ?

7. Comment ressortent les adjectifs après s'être mariés à un nom ?

8. Qu'est-ce qu'apportent les adjectifs adjoints au nom ?

9. À quoi sont comparés tous ces mots ?

10. Pour quelles raisons ?

Enrichissement lexical

Expliquez les mots ou les expressions suivants : pulluler ; tu vas trop vite en besogne ; ils changent de qualificatifs comme de chaussettes ; en deux temps, trois mouvements.

Sensibilisation grammaticale

RÉVISION DES ADJECTIFS

1. Mettre les adjectifs suivants au féminin.

• un dossier incomplet ➡ une valise…

• un homme muet ➡ une femme…

• un enfant cambodgien ➡ une enfant…

• un bref regard ➡ une… rencontre

• un ancien chemin ➡ une… route

• un vieux château ➡ une… tour

• un doux câlin ➡ une couverture…

• un remède bénin ➡ une blessure…

- un air frais ➠ une boisson…
- un livre grec ➠ une recette…

2. Mettre au masculin les adjectifs suivants :
- une belle fille ➠ un… arbre
- une vieille maison ➠ un… immeuble
- la nouvelle année ➠ le… an
- une valise légère ➠ un sac…
- une société laïque ➠ un état…
- une fausse idée ➠ un… témoignage
- une issue heureuse ➠ un… événement
- une tierce personne ➠ un… arbitre
- une femme protectrice ➠ un homme…
- une réponse franche ➠ un regard…

3. Mettre au pluriel les adjectifs et les noms suivants :
- un personnage génial ➠ des ……………………………………………
- un coup fatal ➠ ……………………………………………
- un accident banal ➠ ……………………………………………
- un frère jumeau ➠ ……………………………………………
- le bel hibou ➠ ……………………………………………
- un mot hébreu ➠ ……………………………………………
- un travail original ➠ ……………………………………………
- mon vieil ami ➠ ……………………………………………
- le nouvel immeuble ➠ ……………………………………………
- une demi-douzaine d'œufs ➠ deux ……………………………………………

Travail écrit

Répondez au questionnaire suivant par écrit :
- Depuis combien d'années apprenez-vous le français ?
- Aimez-vous la grammaire ? Si oui, pourquoi, si non, pourquoi ?
- Quels sont les points de grammaire qui vous posent le plus de problèmes ?
- Combien de temps par semaine estimez-vous consacrer à votre apprentissage du français en dehors de vos cours ?
- Quelle est votre méthode de travail ? Comment apprenez-vous le français chez vous après les cours ?
- Pensez-vous que votre méthode de travail soit efficace ? Expliquez.
- Qu'est-ce que vous aimez le plus dans l'apprentissage de la langue française ? Expliquez.

• Qu'est-ce que vous aimez le moins en français ? Expliquez.

• Travaillez-vous avec le dictionnaire ? Expliquez.

• Quel niveau pensez-vous avoir en grammaire ? Fort, moyen, faible ?

Travail oral

1. Ce texte, avec une approche très particulière de la grammaire, vous a-t-il intéressé ? (ou vous a-t-il déplu ?) Qu'est-ce que vous avez aimé (ou qu'est-ce que vous n'avez pas aimé ?) Chacun s'exprime à tour de rôle.

2. La grammaire est une chanson douce. Erik Orsenna par cette petite histoire nous montre son amour pour la langue française et notamment la grammaire.

• Pensez-vous que la grammaire soit une chanson douce ?

• Quelle est votre méthode pour apprendre le français ?

• Combien de temps par jour passez-vous
   – sur l'apprentissage de la langue ?
   – sur la grammaire ?

Texte 24
En langue orale : le métier de lire

Bernard Pivot est un journaliste de la télévision très connu en France ; c'est le spécialiste des émissions littéraires. Depuis 40 ans, il présente chaque semaine dans des émissions aux noms divers des écrivains qu'il invite sur le plateau pour venir parler de leurs livres.

Cet essai, un peu différent des précédents, se présente sous forme d'interview dans un jeu de questions-réponses, très employé de nos jours.

* * *

Pierre Nora : Et vous, dans tout cela ? Pour tout le monde, Pivot c'est Pivot de toute éternité. Mais avez-vous le sentiment de vous être trouvé tout de suite ? De vous être critiqué, d'avoir réfléchi à votre technique ?

Bernard Pivot : Ai-je une technique d'interview ? Non. J'ai une manière d'être, d'écouter, de parler, de relancer, qui m'est naturelle, qui existait avant que je fasse de la télévision et qui continuera quand je n'en ferai plus. Beaucoup de gens pensent que questionner, converser, devant des caméras, oblige le journaliste à être différent de ce qu'il est lorsqu'il s'entretient avec quelqu'un dans l'ordinaire de la vie. Pour ce qui me concerne, je ne vois que des ressemblances, sauf, bien sûr, qu'à la télévision le temps presse, qu'il faut aller plus vite que chez soi ou dans la rue, et que tout mot doit être « utile ». Mais dans le roulé-boulé de la conversation, comment être autrement que ce qu'on est profondément ? À moins d'être un formidable comédien et de composer sur les plateaux de télévision un personnage décalé du vrai – mais alors quelle gymnastique ! (…)

Et pourtant ce fut au départ un peu mon idée. Quand, en 1973, Jacqueline Baudrier m'a demandé de faire sur la Une[1] de l'époque une émission littéraire, qui allait s'intituler *Ouvrez les guillemets,* n'ayant aucune expérience de la télévision et devant me lancer dans le grand bain sans essai, sans répétition, sans préparation, je conçus le projet d'être différent de ce que j'étais dans ma manière de parler. Je fis un rapide bilan : « *Tu parles trop vite ; tu manges les négations ; tu emploies des formes interrogatives fautives ; tu abuses des onomatopées et des chevilles, etc.* » Accablant ! Je m'efforçai donc, dans les jours qui précédèrent la première émission, à parler lentement, à prononcer les *ne* et les *n'y*, à poser des questions dans une forme interrogative impeccable, à expulser de ma bouche

---

1. Nom de la première chaîne de télévision française.

les mots inutiles et incongrus… La veille du grand soir, je m'aperçus que j'étais grotesque. Je m'engueulai avec vigueur et je me dis ceci : « Mon pauvre Bernard, tu gagneras en étant toi-même et non pas un autre, en tout cas pas celui que j'entends avec consternation parler comme s'il avait le larynx sur un portemanteau… De deux choses l'une : ou ta manière de t'exprimer, parfois un peu baroque, il est vrai, passe bien, est bien reçue, et c'est tant mieux pour toi ; ou elle déplaît, irrite, paraît incompatible avec la qualité d'une émission littéraire, exemplaire en toutes choses, et tu retourneras illico à la presse écrite après une expérience ratée, cependant fort intéressante… » Vous connaissez la suite, à savoir que c'est précisément cette manière non universitaire – pardon, monsieur Nora –, non pédagogique, plutôt conviviale, spontanée et populaire, de converser avec les écrivains et les intellectuels, et de parler des livres, qui a, en partie, fait le succès de l'émission.

Je me suis cependant donné quelques règles de bon sens, que d'ailleurs la plupart des journalistes de télévision appliquent, consciemment ou non : 1/ faire des questions courtes ; 2/ considérer que toute réponse, même décevante, est plus importante que la question (« Ma réponse est oui, dit Woody Allen. Mais quelle était la question ? » ; 3/ ne jamais oublier que c'est aussi le téléspectateur qui pose la question et que c'est aussi lui qui entend la réponse.

Pierre Nora. Vous êtes-vous amélioré comme interviewer ?

Bernard Pivot : Je ne peux pas ne pas croire que je me suis amélioré au fil des années et que, si je devais faire une émission de débat pendant vingt ans encore, je ferais encore des progrès. Tout travail de longue haleine, répétitif et cependant chaque fois nouveau, suppose, si l'on n'est pas foncièrement pessimiste, l'ambition d'être toujours meilleur qu'on a été. Je crains toutefois que cela ne soit qu'un vœu agréable ou une attitude confortable. Car, année après année, il est probable qu'on évolue imperceptiblement et qu'on parvient à une efficacité qui n'est ni plus ni moins grande que l'efficacité précédente, mais qui est faite d'éléments dont le dosage varie avec l'âge. Ce que j'ai gagné en expérience, en métier, ne l'ai-je pas perdu en spontanéité ? Ma naïveté, naturelle ou feinte, n'a-t-elle pas décliné au profit d'un réalisme tranquille ? Est-ce que je ne montre pas plus d'agacement qu'autrefois devant les dérobades ou les mensonges de certains invités ?

Ce qui n'a pas varié, c'est la somme considérable de travail, essentiellement de lecture, que j'ai produite pour conduire le mieux possible l'émission. Car, à la sept-centième, j'étais aussi angoissé, avant l'émission, qu'à la septième. Combien il est rassurant, alors, de me dire que j'ai consacré à sa préparation tout le temps qu'elle exigeait, qu'elle méritait, et dont, ne serait-ce que par politesse, j'étais redevable aux écrivains qui avaient accepté mon invitation et aux téléspectateurs qui étaient au rendez-vous.

Pierre Nora : D'accord, mais vous noyez quand même un peu le poisson. Pour tout le monde, ce qui fait votre principale qualité d'interviewer – en dehors d'avoir vraiment lu et compris les livres – c'est de poser aux auteurs les questions que tout un chacun leur poserait à votre place, indépendamment de ce que, vous, vous savez d'eux ou pourriez avoir, vous, envie de leur poser. Le rôle d'interprète de la curiosité publique, l'avez-vous travaillé, mis au point, ou vous a-t-il été vraiment une première nature ?

Bernard Pivot. Votre formule « interprète de la curiosité publique » me paraît être une excellente définition de la profession de journaliste. Et si j'ai travaillé ce « rôle », c'est d'abord au Centre de formation des journalistes et dans mes premières années au *Figaro littéraire* où mes aînés m'ont appris que les bonnes questions sont celles qui donnent aux lecteurs ou aux auditeurs la vivifiante impression qu'à votre place ils les auraient aussi posées.

Qu'il y ait aussi là-dedans quelque don, c'est sûr.

Pour chaque émission je pars de ce postulat : le public ne sait rien, moi non plus, et les intellectuels et écrivains savent beaucoup de choses. Mais, ayant lu leurs livres, j'en sais assez pour être le médiateur entre l'ignorance des uns – qui ne demandent qu'à apprendre – et la connaissance des autres – qui ne demandent qu'à transmettre leur savoir. Une émission d'*Apostrophes* réussie est celle où les téléspectateurs étant mieux informés, plus cultivés, moins ignorants qu'ils ne l'étaient avant l'émission, éprouvent l'irrésistible envie d'en savoir plus et, pour cela, achètent et lisent les livres sur lesquels on a discouru pendant soixante-quinze minutes.

Bernard Pivot, *Le métier de lire* © Éditions Gallimard, 2001

* * *

Compréhension du texte

1. Bernard Pivot a-t-il une technique particulière d'interview ?

2. Lorsque Jacqueline Baudrier lui a demandé d'animer sa première émission littéraire, qu'a-t-il essayé de faire en ce qui concerne son élocution ? Donner des exemples.

3. Pourquoi a-t-il refusé de s'exprimer avec une élocution impeccable ?

4. À partir de ce moment-là, quel choix a-t-il fait ?

5. Pourquoi cette façon de parler non universitaire a-t-elle fait le succès de l'émission ?

6. Quelles sont cependant les règles de bon sens qu'il a voulu se donner lorsqu'il interroge des écrivains ?

7. Pourquoi considère-t-il que toute réponse est plus importante que la question ?

8. Qu'est-ce qui n'a pas varié depuis la première émission jusqu'à la dernière et qu'il a considéré comme une marque de politesse vis-à-vis de l'écrivain invité.

9. Il se définit comme un médiateur entre le public et les écrivains. Que doit-il faire en tant que médiateur ?

10. Quel était le nom de sa célèbre émission littéraire qu'il a animée pendant des années ? Et qu'était-ce pour lui une émission réussie ?

Enrichissement lexical

Expliquer les mots ou les expressions suivantes : le roulé-boulé de la conversation ; se lancer dans le grand bain ; des onomatopées ; des mots incongrus ; le larynx sur un portemanteau ; illico ; noyer le poisson ; vivifiante impression ; un postulat.

Sensibilisation grammaticale

IL EST PROBABLE, IL EST POSSIBLE…

Dans le texte, on relève :

• Car année après année, il est probable qu'on *évolue* imperceptiblement et qu'on *parvient* à une efficacité…

On peut dire aussi :

• Car année après année, il est possible qu'on *évolue* imperceptiblement et qu'on *parvienne* à une efficacité…

Trouvez la règle grammaticale qui commande les verbes en italiques, puis terminez les phrases suivantes :

Il est probable que mon frère (venir) .... vous voir. Il est possible qu'il (prendre) .... avec lui ses skis et que vous (aller) .... tous les jours sur les pistes. Il est probable que je (venir) .... également passer quelques jours avec vous. Il est tout à fait possible que mon ami Vincent (obtenir) .... quelques jours de vacances. À ce moment-là il est probable qu'il nous (rejoindre) .... rapidement. Malheureusement, il est impossible qu'il (pouvoir) .... rester plus d'une semaine.

Travail écrit

1. Préparez une quinzaine de questions par écrit que vous poserez ensuite à votre voisin. Vous l'interrogerez sur le pays ou la ville d'où il vient. Vous obtiendrez suffisamment de renseignements pour pouvoir rédiger un petit texte de 10 à 15 lignes. Par vos questions, essayez de découvrir une particularité propre à cette ville ou à ce pays.

2. Vous préparez une quinzaine de questions par écrit que vous poserez ensuite à votre voisin. Vous l'interrogerez sur son apprentissage de la langue française, sur ce qu'il pense de la France et des Français. Vous obtiendrez suffisamment de renseignements pour pouvoir rédiger un petit texte de 10 à 15 lignes.

Travail oral

Exposé

Préparez à la maison un exposé sur votre pays ou sur une ville de France. Présentez cette recherche devant la classe.
Le reste du groupe, après avoir écouté l'exposé en entier devra préparer trois à quatre questions par personne, puis chacun posera à tour de rôle ses questions.

Discussion

a) La lecture est-elle pour vous un plaisir ? Dites pourquoi. Chacun parle à tour de rôle.

b) Parlez d'un livre que vous avez lu récemment. Dites pourquoi il vous a plu (ou déplu).

c) Quels sont les conseils donnés par Bernard Pivot pour l'expression orale ? Relevez-les dans le texte et montrez à l'aide d'exemples, comment vous pouvez vous entraîner à les appliquer.

PARTIE VIII

Textes descriptifs : le portrait

Le portrait est un genre très utilisé en littérature pour camper les personnages, soit dans l'autobiographie, soit dans les romans.

Texte 25

Portrait d'une jeune femme turque

Pierre Loti (1850-1923), officier de marine et écrivain a beaucoup voyagé. Au cours d'une halte en Turquie, il a rencontré une jeune femme, Azyadé, qui l'a beaucoup séduit. Il demeure quelque temps chez elle puis lui annonce un soir qu'il doit repartir le lendemain. Loti décrit ici leur dernière soirée ensemble. Elle a mis ses plus beaux vêtements pour lui plaire une dernière fois. Dans une prose superbe et colorée, l'écrivain en fait ici un portrait d'une grande beauté.

* * *

Elle avait fait pour cette soirée une toilette qui la rendait étrangement belle ; la richesse orientale de son costume contrastait maintenant avec l'aspect de notre demeure, redevenue sombre et misérable. Elle portait une de ces vestes à longues basques dont les femmes turques d'aujourd'hui ont presque perdu le modèle, une veste de soie violette semée de roses d'or. Un pantalon de soie jaune descendait jusqu'à ses chevilles, jusqu'à ses petits pieds chaussés de pantoufles dorées. Sa chemise en gaze lamée d'argent, laissait échapper ses bras ronds, d'une teinte mate et ambrée, frottés d'essence de roses. Ses cheveux bruns étaient divisés en huit nattes, si épaisses, que deux d'entre elles auraient suffi au bonheur d'une merveilleuse[1] de Paris ; ils s'étalaient à côté d'elle sur le divan, noués au bout par des rubans jaunes et mêlés de fils d'or, à la manière des femmes arméniennes. Une masse d'autres petits cheveux plus courts et plus rebelles formaient nimbe autour de ses joues rondes, d'une pâleur chaude et dorée. Des teintes d'un ambre plus foncé entouraient ses paupières ; et ses sourcils très rapprochés d'ordinaire, se rejoignaient ce soir-là avec une expression de profonde douleur.

Elle avait baissé les yeux, et on devinait seulement, sous ses cils, ses larges prunelles glauques penchées vers la terre ; ses dents étaient serrées, et sa lèvre rouge s'entrouvrait par une contraction nerveuse qui lui était familière. Ce mouvement qui eût rendu laide une autre femme la rendait, elle, plus charmante ; il indiquait chez elle la préoccupation ou la douleur, et découvrait deux rangées pareilles de toutes petites perles blanches.

Pierre Loti, *Azyadé*, 1879

* * *

---

1. Sous le Directoire, une femme élégante et excentrique se nommait une « merveilleuse ».

Compréhension du texte

1. Dans quelle situation psychologique se trouve Azyadé?

2. Dans quel pays se déroule cette scène?

3. Relevez les mots qui marquent des détails colorés de la toilette d'Azyadé.

4. Comment était-elle coiffée?

5. Quel geste marque sa nervosité?

6. Quelle réflexion de l'auteur prouve son admiration inconditionnelle?

7. Que sont « les deux rangées de perles blanches »?

8. Que signifie l'expression « formaient nimbe »?

9. En quoi cette description peut-elle être classée comme une œuvre picturale?

10. Que pensez-vous de cette conception de la femme par un homme?

Les idées du texte

1. Quel est le plan de ce portrait?

2. L'attitude du comportement extérieur est-elle suffisante pour exprimer un trouble psychologique?

Enrichissement lexical

1. Quel est le sens de étrangement dans ce texte?

2. À quoi correspondent les couleurs ambre et glauque?

3. Qu'est-ce qu'une basque?

4. Qu'est-ce qu'une étoffe lamée?

Sensibilisation grammaticale

1. Quel est le temps le plus employé dans ce texte? Pourquoi?

2. Relevez un verbe à la deuxième forme du passé du conditionnel.
   Par quel autre verbe pourrait-on le remplacer dans le langage parlé?

Travail écrit

À votre tour, écrivez le portrait d'une personne de votre choix, en vous servant du plan du texte (aspect vestimentaire, description du visage et description de l'attitude psychologique par quelques traits de comportement).

Travail oral (au choix)

- Comment vous habilleriez-vous maintenant si vous vouliez être le plus en beauté ? Échangez les opinions des filles et celles des garçons.

- Le maquillage vous paraît-il important ou négligeable dans la présentation extérieure d'une femme ?

- À votre avis, l'aspect vestimentaire est-il le reflet d'une personnalité ? Qu'est-ce qu'on peut déceler dans des vêtements ? Quelle place peut-on leur accorder au cours d'une recherche d'emploi par exemple ? ou dans d'autres circonstances ?

- Deux ou trois traits de comportement extérieur sont-ils suffisants pour traduire des sentiments ? Cherchez au moins cinq exemples qui puissent être significatifs.

Texte 26
Portrait de Cosette

Fantine, la maman de Cosette est une mère célibataire. Elle est obligée de faire garder sa petite fille pour pouvoir travailler. Elle s'adresse à un couple d'aubergistes, les Thénardier. Ils ont deux filles à peu près du même âge que Cosette ; elles lui semblent suffisamment choyées et bien habillées pour qu'il en soit de même pour Cosette. La pauvre femme n'a pas compris que les Thénardier n'acceptent Cosette qu'en raison de la pension exorbitante qu'ils exigent de la mère. Ils ne cesseront de faire souffrir l'enfant et de trahir la confiance de la jeune femme.

* * *

La mère Thénardier aimait passionnément ses deux filles à elle, ce qui fit qu'elle détesta l'étrangère. Il est triste de songer que l'amour d'une mère peut avoir de vilains aspects. Si peu de place que Cosette tînt chez elle, il lui semblait que cela était pris aux siens, et que cette petite diminuait l'air que ses filles respiraient. Cette femme, comme beaucoup de femmes de sa sorte, avait une somme de caresses et une somme de coups et d'injures à dépenser chaque jour. Si elle n'avait pas eu Cosette, il est certain que ses filles, tout idolâtrées qu'elles étaient, auraient tout reçu ; mais l'étrangère leur rendit le service de détourner les coups sur elle. Ses filles n'eurent que des caresses. Cosette ne faisait pas un mouvement qui ne fît pleuvoir sur sa tête une grêle de châtiments violents et immérités. Doux être faible qui ne devait rien comprendre à ce monde ni à Dieu, sans cesse punie, grondée, rudoyée, battue et voyant à côté d'elle deux petites créatures comme elle, qui vivaient dans un rayon d'aurore. La Thénardier étant méchante pour Cosette, Eponine et Azelma furent méchantes. Les enfants, à cet âge, ne sont que des exemplaires de la mère. Le format est plus petit, voilà tout.

Une année s'écoula, puis une autre.

On disait dans le village :

– Ces Thénardier sont de braves gens. Ils ne sont pas riches, et ils élèvent un pauvre enfant qu'on leur a abandonné chez eux !

On croyait Cosette oubliée par sa mère. Cependant le Thénardier ayant appris par on ne sait quelles voies obscures que l'enfant était probablement bâtard et que la mère ne pouvait l'avouer, exigea quinze francs par mois disant que « *la créature* » grandissait et « *mangeait* », et menaçant de la renvoyer. « *Qu'elle ne m'embête pas !* s'écriait-il, *je lui bombarde son mioche tout au milieu de ses cachotteries. Il me faut de l'augmentation.* » La mère paya les quinze francs.

D'année en année, l'enfant grandit, et sa misère aussi.

Tant que Cosette fut toute petite, elle fut le souffre-douleur des deux autres enfants ; dès qu'elle se mit à se développer un peu, c'est-à-dire avant même qu'elle eût cinq ans, elle devint la servante de la maison.

Cinq ans, dira-t-on, c'est invraisemblable. Hélas, c'est vrai ! La souffrance sociale commence à tout âge. On fit faire à Cosette les commissions, balayer les chambres, la cour, la rue, laver la vaisselle, porter même des fardeaux… C'était une chose navrante de voir l'hiver ce pauvre enfant, qui n'avait pas encore six ans, grelottant sous de vieilles loques de toile trouées, balayer la rue avant le jour avec un énorme balai dans ses petites mains rouges et une larme dans ses grands yeux ?

Dans le pays on l'appelait l'Alouette. Le peuple, qui aime les figures, s'était plu à nommer de ce nom ce petit être pas plus gros qu'un oiseau, tremblant, effarouché et frissonnant, éveillé le premier chaque matin dans la maison et dans le village, toujours dans la rue ou dans les champs avant l'aube.

Seulement la pauvre alouette ne chantait jamais.

Victor Hugo, Les Misérables, 1862

* * *

Compréhension du texte

1. Pourquoi Cosette vit-elle chez les Thénardier ?
2. Quel est le métier des Thénardier ?
3. Comment Victor Hugo justifie-t-il la méchanceté de la Thénardier pour Cosette ? Est-ce que vous trouvez cela normal ?
4. Cosette comprend-elle pourquoi on est méchant avec elle ?
5. Quel changement se produisit dans le comportement de la famille Thénardier quand Cosette eut cinq ans ?
6. Quelles sont les tâches que Cosette doit accomplir ?
7. Quelle était sa première tâche le matin ?
8. Quel est le mot qui montre la souffrance intérieure de Cosette ?
9. Quel surnom lui a-t-on donné dans le pays ? Pourquoi ?
10. Quelle différence Victor Hugo souligne-t-il entre une alouette et Cosette ?

Enrichissement lexical

1. Relevez dans ce texte les extraits de phrases qui veulent exprimer la misère physique et affective de Cosette.

2. Expliquez les mots : idolâtrées, rudoyées, une grêle de châtiments.

Sensibilisation grammaticale

1. Trouver dans ce texte une expression de la conséquence. Écrivez une phrase sur le même modèle.

2. Trouver une expression de la restriction. Écrivez une phrase sur le même modèle.

3. Remplacer tout idolâtrées qu'elles étaient par une autre construction ayant le même sens.

Travail écrit

Dans notre monde, beaucoup d'enfants doivent se mettre au travail dès leur plus jeune âge pour ne pas mourir de faim. Trouvez quelques exemples précis et essayez de voir qui est fautif : les parents ? les employeurs ? la société ? les lois de la consommation ?
Vous conclurez en proposant la ou les solutions qui vous paraissent possibles.

Travail oral

1. Donnez quelques exemples prouvant qu'il existe encore à notre époque des enfants dont la vie n'est que souffrance.

2. Chercher quelques mesures concrètes que peut proposer la société actuelle pour atténuer la souffrance de jeunes enfants.

Texte 27

J.-J. Rousseau écrit le portrait de Mᵐᵉ de Warens

Jean-Jacques Rousseau (1712-1778) est un des plus grands écrivains du XVIIIᵉ siècle, célèbre pour ses idées sur la nature, l'éducation, l'égalité des hommes. Il trace ici le portrait de Mᵐᵉ de Warens, une femme qui l'a aidé toute sa vie et pour laquelle il eut une grande affection. De douze ans son aînée, elle conçut pour lui des sentiments maternels mêlés à un véritable amour. Leur liaison de 1728 à 1742 est finement analysée psychologiquement dans les Confessions, *livre I à VI.*

* * *

Elle avait de ces beautés qui se conservent, parce qu'elles sont plus dans la physionomie que dans les traits : Aussi la sienne était-elle encore dans tout son premier éclat. Elle avait un air caressant et tendre, un regard très doux, un sourire angélique, une bouche à la mesure de la mienne, des cheveux cendrés d'une beauté peu commune, et auxquels elle donnait un tour négligé qui la rendait très piquante. Elle était petite de stature, courte même, et ramassée un peu dans sa taille, quoique sans difformité ; mais il était impossible de voir une plus belle tête, un plus beau sein, de plus belles mains, et de plus beaux bras.

Son éducation avait été fort mêlée : elle avait, ainsi que moi, perdu sa mère dès sa naissance, et, recevant indifféremment des instructions comme elles s'étaient présentées, elle avait appris un peu de sa gouvernante, un peu de son père, un peu de ses maîtres, et beaucoup de ses amants. Mais tant de genres différents se nuisirent les uns aux autres…

Son caractère aimant et doux, sa sensibilité pour les malheureux, son inépuisable bonté, son humeur gaie, ouverte et franche ne s'altérèrent jamais ; et même aux approches de la vieillesse, dans le sein de l'indigence, des maux, des calamités diverses, la sérénité de sa belle âme lui conserva jusqu'à la fin de sa vie toute la gaieté de ses plus beaux jours.

Que ceux qui nient la sympathie des âmes expliquent, s'ils peuvent, comment, dès la première entrevue, dès le premier mot, du premier regard, Mᵐᵉ de Warens m'inspira non seulement le plus vif attachement, mais une confiance parfaite et qui ne s'est jamais démentie. Supposons que ce que j'ai senti pour elle fût véritablement de l'amour, ce qui paraîtra tout au moins douteux à qui suivra l'histoire de nos liaisons, comment cette passion fût-elle accompagnée dès sa naissance, des sentiments qu'elle inspire le moins : la paix du cœur, le calme, la sécurité, l'assurance ?

Comment en approchant pour la première fois d'une femme aimable, polie, éblouissante, d'une dame d'un état supérieur au mien, comment dis-je, me trouvai-je à l'instant aussi libre, aussi à mon aise ? Naturellement honteux, décontenancé, n'ayant jamais vu le monde, comment pris-je avec elle, du premier jour, du premier instant, les manières faciles, le langage tendre, le ton familier, que j'avais dix ans après, lorsque la plus grande intimité l'eut rendu naturel ? A-t-on de l'amour je ne dis pas sans désirs, j'en avais, mais sans inquiétude, sans jalousie ? Ne veut-on pas au moins apprendre de l'objet qu'on aime que l'on est aimé ? C'est une question qu'il ne m'est pas plus venu dans l'esprit de lui faire une fois dans ma vie que de me demander à moi-même si je m'aimais., et jamais elle n'a été plus curieuse avec moi. Il y eut certainement quelque chose de singulier dans mes sentiments pour cette charmante femme.

…Il fut question de ce que je deviendrais, et pour en causer plus à loisir, elle me retint à dîner.

* * *

Compréhension du texte

1. Comment Rousseau définit-il la beauté de Mme de Warens ?
2. Que signifie la phrase : une beauté qui est plus dans la physionomie que dans les traits ?
3. Quelle éducation a-t-elle eue ?
4. À quoi voyez-vous qu'elle ne se mettait jamais en colère ?
5. Était-elle riche ou pauvre ?
6. À quel moment Rousseau a-t-il éprouvé un véritable sentiment pour Mme de Warens ?
7. Quels sentiments a-t-il éprouvés lors de leur première entrevue ?
8. Rousseau était-il timide ?
9. Rousseau était-il habitué à rencontrer des femmes nobles de la haute société ?
10. Pourquoi ne lui a-t-il jamais demandé si ses sentiments étaient partagés ?

Construction du texte

Donner un titre à chaque paragraphe afin de montrer la progression du portrait.

Enrichissement lexical

1. Relevez dans le premier paragraphe tous les adjectifs qui qualifient la beauté physique.
2. Donner un synonyme de « causer plus à loisir ». Connaissez-vous un autre sens au mot « loisir ». Donnez quelques expressions que vous connaissez dans lequel ce mot sera utilisé.

Sensibilisation grammaticale

1. Dans la phrase : Supposons que ce que j'ai senti pour elle *fût* véritablement de l'amour…, à quel temps est le verbe fût. Justifiez son emploi.
Écrivez trois phrases avec le verbe « supposer ».

2. Dans la phrase lorsque la plus grande intimité l'*eut rendu* naturelle, pourquoi n'y a-t-il pas d'accent sur eut ?
Écrivez trois phrases avec « lorsque » en tête de phrase.

Travail écrit (au choix)

1. La beauté est-elle l'impression prédominante dans la naissance du sentiment amoureux ? Justifiez votre réponse par des exemples précis.
2. L'amour est-il pour vous un sentiment durable ou un engouement passager qu'il ne faut pas laisser passer quand il se présente ? Justifiez votre point de vue.
3. Croyez-vous à l'amour pour toute une vie ? Sur quels fondements suffisamment solides peut-il se construire ?

Travail oral

1. Quels sont les critères de la beauté ou de la séduction, pour une fille ? pour un garçon ? Chacun s'exprime à tour de rôle.
2. À quoi voit-on qu'on peut devenir amoureux d'un garçon ou d'une fille ?

Texte 28
Les Vieux

Alphonse Daudet (1840-1877) est surtout connu pour Les Lettres de mon moulin, *un recueil de petits textes dont la plupart évoquent la Provence, où soleil, nature, parfums de fleurs et d'arbres méditerranéens présentent à ses lecteurs un séjour enchanteur. Daudet dans chacune de ses lettres a peint merveilleusement la vie de cette région. Le portrait du couple de petits vieux est particulièrement pittoresque.*

* * *

« Une lettre, père Azan ?

– Oui, monsieur… ça vient de Paris. »

Il était tout fier que ça vînt de Paris, ce brave père Azan… Pas moi. Quelque chose me disait que cette Parisienne[1] de la rue Jean-Jacques, tombant sur ma table à l'improviste et de si grand matin, allait me faire perdre toute ma journée. Je ne me trompais pas, voyez plutôt :

Il faut que tu me rendes un service, mon ami. Tu vas fermer ton moulin pour un jour et t'en aller tout de suite à Eyguières… Eyguières est un gros bourg à trois ou quatre lieues de chez toi – une promenade. En arrivant, tu demanderas le couvent des Orphelines. La première maison après le couvent est une maison basse à volets gris avec un jardinet derrière. Tu entreras sans frapper – la porte est toujours ouverte – et, en entrant tu crieras bien fort : « Bonjour, braves gens ! Je suis l'ami de Maurice… » Alors, tu verras deux petits vieux, oh ! mais vieux, vieux, archivieux, te tendre les bras du fond de leurs grands fauteuils, et tu les embrasseras de ma part, avec tout ton cœur, comme s'ils étaient à toi. Puis vous causerez ; ils te parleront de moi, rien que de moi ; ils te raconteront mille folies que tu écouteras sans rire… Tu ne riras pas, hein ? Ce sont mes grands-parents, deux êtres dont je suis toute la vie et qui ne m'ont pas vu depuis dix ans… Dix ans, c'est long ! Mais que veux-tu ! moi, Paris me tient ; eux, c'est le grand âge… Ils sont si vieux, s'ils venaient me voir, ils se casseraient en route… Heureusement, tu es là-bas, mon cher meunier, et, en t'embrassant, les pauvres gens croiront m'embrasser un peu moi-même… Je leur ai si souvent parlé de nous et de cette bonne amitié dont…

Le diable soit de l'amitié ! Justement ce matin-là il faisait un temps admirable, mais qui ne valait rien pour courir les routes : trop de mistral et trop de soleil, une vraie jour-

---

1. Une lettre venant de Paris.

née de Provence. Quand cette maudite lettre arriva, j'avais déjà choisi mon *cagnard* (abri) entre deux roches, et je rêvais de rester là tout le jour, comme un lézard, à boire de la lumière, en écoutant chanter les pins… Enfin, que voulez-vous faire ? Je fermai le moulin en maugréant, je mis la clef sous la chatière. Mon bâton, ma pipe, et me voilà parti.

J'arrivai à Eyguières vers deux heures. Le village était désert, tout le monde aux champs. Dans les ormes du cours, blancs de poussière, les cigales chantaient comme en pleine Crau. Il y avait bien sur la place de la mairie un âne qui prenait le soleil, un vol de pigeons sur la fontaine de l'église, mais personne pour m'indiquer l'orphelinat. Par bonheur une vieille fée m'apparut tout à coup, accroupie et filant dans l'encoignure de sa porte ; je lui dis ce que je cherchais ; et comme cette fée était très puissante, elle n'eut qu'à lever sa quenouille : aussitôt le couvent des orphelines se dressa devant moi comme par magie… C'était une grande maison maussade et noire, toute fière de montrer au-dessus de son portail en ogive une vieille croix de grès rouge avec un peu de latin autour. À côté de cette maison, j'en aperçus une autre plus petite. Des volets gris, le jardin derrière… Je la reconnus tout de suite, et j'entrai sans frapper.

(………)

Oh ! alors, si vous l'aviez vu, le pauvre vieux, si vous l'aviez vu venir vers moi les bras tendus, m'embrasser, me serrer les mains, courir égaré dans la chambre, en faisant :

« Mon Dieu ! mon Dieu !… »

Toutes les rides de son visage riaient. Il était rouge. Il bégayait :

« Ah ! monsieur… ah ! monsieur… »

Puis il allait vers le fond en appelant :

« Mamette ! »

Une porte qui s'ouvre, un trot de souris dans le couloir… c'était Mamette. Rien de joli comme cette petite vieille avec son bonnet à coque, sa robe carmélite, et son mouchoir brodé qu'elle tenait à la main pour me faire honneur, à l'ancienne mode… Chose attendrissante ! ils se ressemblaient. Avec un tour et des coques[2] jaunes, il aurait pu s'appeler Mamette, lui aussi. Seulement la vraie Mamette avait dû beaucoup pleurer dans sa vie, et elle était encore plus ridée que l'autre. Comme l'autre aussi, elle avait près d'elle une enfant de l'orphelinat, petite garde en pèlerine bleue, qui ne la quittait jamais ; et de voir ces vieillards protégés par ces orphelines, c'était ce qu'on peut imaginer de plus touchant.

En entrant, Mamette avait commencé par me faire une grande révérence, mais d'un mot le vieux lui coupa sa révérence en deux :

« C'est l'ami de Maurice… »

Aussitôt la voilà qui tremble, qui pleure, perd son mouchoir, qui devient rouge, toute rouge, encore plus rouge que lui… Ces vieux ! ça n'a qu'une goutte de sang dans les veines, et à la moindre émotion, elle leur saute au visage…

---

2. Dentelles autour du bonnet.

« Vite, vite, une chaise… dit la vieille à sa petite.

– Ouvre les volets… », crie le vieux à la sienne.

Et, me prenant chacun par une main, ils m'emmenèrent en trottinant jusqu'à la fenêtre, qu'on a ouverte toute grande pour mieux me voir. On approche les fauteuils, je m'installe entre les deux sur un pliant, les petites bleues derrière nous, et l'interrogatoire commence :

« Comment va-t-il ? Qu'est-ce qu'il fait ? Pourquoi ne vient-il pas ? Est-ce qu'il est content ?… »

Et patati ! et patata ! Comme cela pendant des heures.

Moi, je répondais de mon mieux à toutes leurs questions, donnant sur mon ami les détails que je savais, inventant effrontément ceux que je ne savais pas, me gardant surtout d'avouer que je n'avais jamais remarqué si ses fenêtres fermaient bien ou de quelle couleur était le papier de sa chambre.

« Le papier de sa chambre !… Il est bleu, madame, bleu clair, avec des guirlandes…

– Vraiment ? » faisait la pauvre vieille attendrie ; et elle ajoutait en se tournant vers son mari :

« C'est un si brave enfant !

– Oh ! oui, c'est un brave enfant ! » reprenait l'autre avec enthousiasme.

Et, tout le temps que je parlais, c'étaient entre eux des hochements de tête, de petits rires fins, des clignements d'yeux, des airs entendus, ou bien encore le vieux qui se rapprochait pour me dire :

« Parlez plus fort… Elle a l'oreille un peu dure. »

Et elle de son côté :

« Un peu plus haut, je vous prie !… Il n'entend pas très bien… »

Alors, j'élevais la voix : et tous deux me remerciaient d'un sourire ; et dans ces sourires fanés qui se penchaient vers moi, cherchant jusqu'au fond de mes yeux l'image de leur Maurice, moi, j'étais tout ému de la retrouver cette image, vague, voilée, presque insaisissable, comme si je voyais mon ami me sourire, très loin, dans un brouillard.

Alphonse Daudet, *Lettres de mon moulin*, 1866

∗ ∗ ∗

Compréhension du texte

1. Quel est le métier de l'ami de Maurice ?

2. Maurice demande à son ami de lui rendre un service. Quel est-il ?

3. Pourquoi Maurice n'est-il pas venu depuis dix ans ?

4. Maurice aime-t-il ses grands-parents ? Justifiez votre réponse.

5. Qu'est-ce que la Provence ? Et comment l'auteur définit-il : une vraie journée de Provence.

6. Comment le pauvre vieux accueille-t-il l'ami de Maurice ?

7. Pourquoi Mamette était-elle plus ridée que son mari ?

8. Quel regard l'ami de Maurice porte-t-il sur ce couple âgé ?

9. Mamette et son mari en veulent-ils à Maurice de ne pas venir les voir ? Justifiez votre réponse.

10. Citez des phrases ou des attitudes qui montrent particulièrement que ce couple est un couple uni ?

Enrichissement lexical

Apprenons quelques mots nouveaux typiques du Sud-Est ou de la vie paysanne au XIXe siècle :

La chatière : petite ouverture pratiquée au bas d'une porte pour laisser passer les chats.

Les ormes : arbres atteignant 20 à 30 mètres de haut, à feuilles dentelées. Connaissez-vous d'autres noms d'arbres ? Citez-les.

Les cigales : petits insectes que l'on trouve particulièrement en Provence et dont le chant ou le cri se fait entendre en été.

L'encoignure de la porte : angle intérieur formé par la rencontre de la porte vers le mur.

Une quenouille : petit bâton garni en haut d'une matière textile, que les femmes filaient autrefois au moyen du fuseau ou du rouet.

Une maison maussade : maison qui est terne et triste.

1. Qu'est-ce qu'une pèlerine ? D'où vient ce mot ?

2. Qu'est-ce que des airs entendus ? Quels sentiments cela implique-t-il ?

Sensibilisation grammaticale

1. Dans le texte, on relève la phrase : Il faut que tu me rendes un service.

Justifiez ici l'emploi de la forme rendes.

Écrivez trois phrases comprenant cette construction.

a) Il faut que ....

b) Je veux que ....

c) Nous désirons que ....

2. L'Hypothèse

Dans le texte, vous avez la phrase suivante : S'ils venaient me voir, ils se casseraient en route…

À votre tour, construisez trois phrases sur le même modèle :

a) Si mon ami ....

b) ....

c) ....

3. Concordance des temps : imparfait ➠ subjonctif imparfait (français soutenu).

Il était tout fier que ça vînt de Paris…

a) Conjuguez le verbe venir puis marcher au subjonctif imparfait.

b) Complétez les phrases suivantes avec un premier verbe à l'imparfait puis un deuxième au subjonctif imparfait.

1. Nous n' (être) .... pas sûrs que vous (être) .... avec eux.

2. Ma sœur (vouloir) .... je (partir) .... avec elle.

3. J' (envisager) .... qu'elle (aller) .... chez son amie.

4. Tu (souhaiter) .... qu'il (porter) .... cette lettre.

5. Il (avoir) .... peur que nous (choisir) .... sans lui.

Travail écrit

1. Imaginez que c'est vous qui avez fait la visite à ces deux personnes âgées. En rentrant chez vous, vous prenez du papier à lettre, et vous écrivez à votre ami Maurice. Vous lui donnez des nouvelles de ses grands-parents et vous lui racontez ce que vous avez vu et entendu.

2. « La vieillesse est un naufrage »a dit le général de Gaulle. Quelle est votre opinion ?

Travail oral

L'auteur de la lettre n'a pas vu ses grands-parents depuis une dizaine d'années. Que pensez-vous d'un si long manque de communication ?

En France aujourd'hui, 15 % des plus de 80 ans n'ont aucun contact visuel ou téléphonique avec leur famille ou leurs amis, et ne participent à aucune activité collective. Or on sait aujourd'hui que l'on ne peut bien vieillir que si l'on est inséré dans la société. Les personnes âgées doivent se sentir utiles et doivent être soutenues par la famille et des amis.

• Quel regard portez-vous sur la vieillesse, sur les personnes âgées de votre entourage ?

• Quelle est la place des « vieux » dans votre société ?

Partie IX

Textes descriptifs : les tableaux de la nature

Texte 29
Une description des travaux de la campagne autrefois

George Sand (1804-1876) a excellé dans les descriptions de la nature dont, en peintre qu'elle était, elle a su apprécier les couleurs et les formes. Dans un texte comme celui-ci, elle a voulu aussi décrire les attitudes des paysans dans leur travail quotidien. À l'heure où les tracteurs ont remplacé les charrues, il est intéressant de voir comment on a travaillé la terre en France pendant des siècles, tout en gardant à l'esprit qu'il y a encore sur la terre un grand nombre de pays moins riches qui pratiquent encore au quotidien ce même genre de travaux.

Nous avons ici un exemple d'une description romantique que les écrivains de cette école du XIXᵉ siècle ont poussée à la perfection. À l'époque où il n'y avait pas de photos pour immortaliser des paysages ou des attitudes, seules la peinture et les descriptions littéraires pouvaient fournir un document précieux pour le patrimoine d'un pays.

* * *

Je marchais sur la lisière d'un champ que des paysans étaient en train de préparer pour la semaille prochaine. L'arène[1] était vaste comme celle du tableau d'Holbein. Le paysage était vaste aussi et encadrait de grandes lignes de verdure, – un peu rougie aux approches de l'automne –, ce large terrain d'un brun vigoureux, où des pluies récentes avaient laissé, dans quelques sillons, des lignes d'eau que le soleil faisait briller comme des minces filets d'argent. La journée était claire et tiède, et la terre fraîchement ouverte par le tranchant des charrues, exhalait une vapeur légère. Dans le haut du champ, un vieillard dont le dos large et la figure rappelaient celui d'Holbein, mais dont les vêtements n'annonçaient pas la misère, poussait gravement son areau[2] de forme antique, traîné par deux bœufs tranquilles, à la robe d'un jaune pâle, véritables patriarches de la prairie, hauts de taille, un peu maigres, les cornes longues et rabattues (…)

Le vieux laboureur travaillait lentement, en silence, sans efforts inutiles. Son docile attelage ne se pressait pas plus que lui ; mais, grâce à la continuité d'un labeur sans distraction et d'une dépense de forces éprouvées et soutenues, son sillon était aussi vite creusé

---

1. L'arène est le champ à labourer. Holbein est un graveur allemand du XVIᵉ siècle. Sa gravure du laboureur derrière sa charrue est très célèbre.
2. Mot local du Berry pour l'ancienne araire, une charrue simple.

que celui de son fils qui menait à quelque distance, quatre bœufs moins robustes dans une veine de terres plus fortes et plus pierreuses.

Mais ce qui attira ensuite mon attention était véritablement un noble sujet pour un peintre. À l'autre extrémité de la terre labourable, un jeune homme de bonne mine conduisait un attelage magnifique : quatre paires de jeunes animaux à robe sombre mêlée de noir fauve à reflets de feu, avec ces têtes courtes et frisées qui sentent encore le taureau sauvage, ces gros yeux farouches, ces mouvements brusques, ce travail nerveux et saccadé qui s'irrite encore du joug et de l'aiguillon (…) L'homme qui les gouvernait avait à défricher un coin naguère abandonné au pâturage et rempli de souches séculaires, travail d'athlète auquel suffisaient à peine son énergie, sa jeunesse et ses huit animaux quasi indomptés.

Un enfant de six à sept ans, beau comme un ange, et les épaules couvertes, sur sa blouse d'une peau d'agneau (…) marchait dans le sillon parallèle à la charrue et piquait le flanc des bœufs avec une gaule longue et légère, armée d'un aiguillon peu acéré. Les fiers animaux frémissaient sous la petite main de l'enfant, et faisaient grincer les jougs et les courroies liés à leur front (…). Lorsqu'une racine arrêtait le soc, le laboureur criait d'une voix puissante, appelant chaque bête par son nom, mais plutôt pour calmer que pour exciter ; car les bœufs, irrités par cette brusque résistance, bondissaient, creusaient la terre de leurs larges pieds fourchus, et se seraient jetés de côté emportant l'areau à travers champs si, de la voix et de l'aiguillon, le jeune homme n'eût maintenu les quatre premiers, tandis que l'enfant gouvernait les quatre autres. Il criait aussi, le pauvret, d'une voix douce qu'il voulait rendre terrible et qui restait douce comme sa figure angélique. Tout cela était beau de force ou de grâce ; le paysage, l'homme, l'enfant, les taureaux sous le joug ; et, malgré cette lutte puissante où la terre était vaincue, il y avait un sentiment de douceur et de calme profond qui planait sur toutes choses.

George Sand, *La Mare au diable*, 1846

* * *

Compréhension du texte

1. Où se passe la scène ?
2. À quelle saison de l'année ? Justifiez votre réponse.
3. Quel est le but de ces travaux ?
4. Quels sont les personnages mis en scène ?
5. Quels sont les outils ou objets matériels cités dans ce texte ?
6. Pourquoi le vieillard travaillait-il aussi vite que son fils ?
7. Pourquoi les bœufs ont-ils besoin d'être calmés ?
8. Quel est le rôle du petit enfant ?

9. Pourquoi l'enfant voulait-il rendre sa voix terrible ?

10. Pourquoi l'auteur ressent-elle un sentiment de douceur en regardant cette scène ?

Enrichissement lexical

1. Relevez dans ce texte tous les mots du champ lexical des travaux des paysans et cherchez-les dans le dictionnaire.

2. Qu'est ce que la lisière d'un champ ?

3. Que signifie exhalait ? On confond souvent ce verbe avec le verbe exalter. Précisez la différence.

4. Qu'est-ce qu'une veine de terre. Donnez deux autres sens de ce mot.

Sensibilisation grammaticale

1. L'apposition. Une technique particulière au style écrit consiste à mettre entre virgules deux noms. Elle ne comporte pas de verbe et est une sorte d'explication.

Par exemple : Paris, capitale de la France, est une ville passionnante à visiter.

Cette villa, maison de mon enfance, ……

Relevez deux appositions dans le texte.

À votre tour, écrivez deux phrases avec une apposition.

2. Par quel autre temps pourrait-on remplacer n'eût maintenu ?

3. Jadis et naguère. Ce sont deux expressions du temps passé qui ont une différence ; expliquez-la.

Travail écrit

• Agriculture ancienne et agriculture moderne. Dresser un bilan des avantages et des inconvénients de ces deux manières d'exploiter la terre.

• Étudiez le statut de l'agriculteur en France au XXIᵉ siècle. Vous paraît-il plus ou moins heureux qu'au XIXᵉ siècle ?

Travail oral

• Avez-vous déjà participé à des travaux des champs ? Racontez. Chacun parle à tour de rôle.

• Les travaux des champs sont-ils trop fatigants ou au contraire bons pour la santé ?

• Si vous pouviez choisir, aimeriez-vous mieux vivre en ville ou à la campagne ?

Texte 30

Paysages du désert

Jean-Marie G. Le Clézio a publié son premier roman Le Procès-Verbal *en 1963, et a reçu en 1980 le Grand Prix Paul Morand de l'Académie française pour son roman* Désert. *Né à Nice en 1940, il a commencé à écrire dès l'âge de sept ans. Grand voyageur, il a eu à cœur de faire partager à ses lecteurs ses regards admiratifs sur le monde qu'il considère comme un champ infini de beautés. « Il faut se contenter de regarder, avidement, de tous ses yeux. »*

* * *

Ils sont apparus, comme dans un rêve, au sommet de la dune, à demi cachés par la brume de sable que leurs pieds soulevaient. Lentement ils sont descendus dans la vallée, en suivant la piste presque invisible. En tête de la caravane, il y avait les hommes, enveloppés dans leurs manteaux de laine, leurs visages masqués par le voile bleu. Avec eux marchaient deux ou trois dromadaires, puis les chèvres et les moutons harcelés par les jeunes garçons. Les femmes fermaient la marche. C'étaient des silhouettes alourdies, encombrées par de lourds manteaux, et la peau de leurs bras et de leurs fronts semblait encore plus sombre dans les voiles d'indigo. Ils marchaient sans bruit dans le sable, lentement, sans regarder où ils allaient. Le vent soufflait continûment, le vent du désert, chaud le jour, froid la nuit. Le sable fuyait autour d'eux, entre les pattes des chameaux, fouettait le visage des femmes qui rabattaient la toile bleue sur leurs yeux. Les jeunes enfants couraient, les bébés pleuraient, enroulés dans la toile bleue sur le dos de leur mère. Les chameaux grommelaient, éternuaient. Personne ne savait où on allait.

Le soleil était encore haut dans le ciel nu, le vent emportait les bruits et les odeurs. La sueur coulait lentement sur le visage des voyageurs, et leur peau sombre avait pris le reflet de l'indigo, sur leurs joues, sur leurs bras, le long de leurs jambes. Les tatouages bleus sur le front des femmes brillaient comme des scarabées. Les yeux noirs, pareils à des gouttes de métal, regardaient à peine l'étendue de sable, cherchaient la trace de la piste entre les vagues des dunes.

(…) C'était comme s'il n'y avait pas de noms ici, comme s'il n'y avait pas de paroles. Le désert lavait tout dans son vent, effaçait tout. Les hommes avaient la liberté de l'espace dans leur regard, leur peau était pareille au métal. La lumière du soleil éclatait partout. Le sable ocre, jaune, gris, blanc, le sable léger glissait, montrait le vent. Il couvrait toutes les traces, tous les os. Il repoussait la lumière, il chassait l'eau, la vie, loin d'un centre que personne ne pouvait reconnaître. Les hommes savaient bien que le désert ne voulait pas d'eux : alors ils marchaient sans s'arrêter, sur les chemins que d'autres pieds avaient déjà parcourus, pour trouver autre chose. L'eau, elle était dans les yeux, couleur de ciel ou bien dans les lits humides des vieux ruisseaux de boue. Mais ce n'était pas de l'eau pour le plaisir, ni pour le repos. C'était juste la trace d'une sueur à la surface du désert.

Jean-Marie G. Le Clézio, *Désert*. © Éditions Gallimard, 1980

* * *

Compréhension du texte

1. De qui s'agit-il ?

2. Sont-ils nombreux ?

3. Quels sont les animaux qui les accompagnent ?

4. Savent-ils exactement où ils vont ?

5. Quels sont les éléments contre lesquels ils doivent lutter ?

6. À quelle heure de la journée se situe cette description ?

7. Y a-t-il des nuages dans le ciel ?

8. À quel moment le désert est-il comparé à la mer ?

9. Est-ce qu'ils peuvent s'arrêter pour boire ?

10. Dites ce que vous avez aimé dans cette description du désert.

Enrichissement lexical

1. Que signifie le verbe grommeler ? Qui peut grommeler ? Donner deux synonymes de ce verbe.

2. Relever les mots qui peuvent constituer le champ lexical du désert.

3. Qu'est-ce que la brume de sable ?

4. Connaissez-vous des expressions françaises avec la couleur bleue ?

Sensibilisation grammaticale

1. Formation des adverbes de manière.

Continûment ne suit pas la règle ordinaire de la formation des adverbes de manière. Expliquez pourquoi c'est une exception.

2. Pourquoi l'auteur emploie-t-il l'imparfait dans cette description ?

Travail écrit

Le désert est le lieu du silence. Pensez-vous qu'on puisse avoir besoin de silence dans une vie ? Dans quels autres lieux le trouve-t-on ? Est-ce un repos ? un ennui ? un lieu de contemplation ? une lutte avec les éléments ? Donnez votre point de vue en vingt lignes.

Travail oral

Connaissez-vous le désert ?

• Si oui, décrivez ce que vous avez aimé.

• Si non, dites pourquoi vous aimeriez (ou vous n'aimeriez pas) traverser une partie du désert pendant quelques jours.

PARTIE X

Le témoignage

Le témoignage relate un événement personnel
vécu profondément.

TEXTE 31

L'adoption et l'arrivée en France d'une petite Coréenne

Claudette Combes a écrit un livre jubilatoire dans lequel elle raconte qu'elle a adopté de nombreux enfants de pays et de races différentes. Nous assistons à l'arrivée d'une petite Coréenne dans sa nouvelle famille.

* * *

C'est le 16 décembre 1973 que notre petite fille est arrivée de Corée.

Elle avait cinq mois et demi.

L'hiver était glacial, le ciel gris mais la lumineuse fête de Noël approchait et déjà les yeux des enfants étincelaient.

Elle fut notre plus beau cadeau à tous.

C'était la première fois que nous attendions un enfant à l'aéroport. La grande salle du Bourget était pleine de monde. Je ne les voyais pas.

Je faisais les cent pas comme autrefois le père pendant que sa femme était en train d'accoucher. Patrick, mon mari, n'avait pas connu cette torture, qui avait assisté à la naissance d'Aurélien.

Notre amie suisse de Neuchâtel, Edmée, connue à Brazzaville, marraine de notre petite fille, partageait notre attente lente, douloureuse et merveilleuse. L'heure n'avançait pas, le temps était figé.

Et l'angoisse s'insinuait en moi.

Si l'avion s'écrasait, si l'on avait oublié notre petite fille…

Enfin l'avion fut là et les hôtesses arrivaient avec les bébés dans les bras tout de jaune vêtus, comme des poussins.

Nous nous précipitions.

Parmi tous ces bébés lequel était notre enfant ? C'est un homme, le commandant de bord qui nous tendit Aurore.

Elle avait un petit bracelet en matière plastique à chaque bras : l'un portait son numéro et l'adresse de l'orphelinat à Séoul, sur l'autre étaient inscrits notre nom et notre adresse.

Elle était si petite, si confiante que tout en moi fondait.

Elle m'a regardée le plus sérieusement du monde, gravement, puis elle a ouvert sa menotte comme une fleur, a tété son pouce, s'est endormie dans mes bras.

Dans la voiture qui nous ramenait, encore une fois riche du plus précieux trésor du monde, vers notre appartement de Versailles, nous remarquâmes comme elle était pâle, tellement que notre peau pourtant décolorée par l'hiver semblait bronzée à côté de son petit visage blanc…

Elle était pâle aussi car exclusivement nourrie en Corée de lait et de farine de riz, elle n'avait jamais bu un jus frais, mangé un fruit vivant !

Oh ! son premier biberon !

Antoine et Aurélien, en extase, voulaient tous deux le tenir. Elle était la petite sœur tant attendue, le vivant cadeau de Noël, si vulnérable et délicate que pour la protéger, nous nous découvrions plein de forces neuves, insoupçonnées.

Même Antoine, devant tant de fragilité, jouait au grand frère protecteur.

> Tu es toute l'innocence du monde
> Tu es toute la beauté du monde
> Tu es la lumière des matins
> la paix des soirs lents
> de tes mains maladroites à explorer le monde, tu tâtonnes vers les formes
> et les couleurs, riant de ne rien saisir, heureuse d'être seulement…
> Tu es toute petite, si fragile et si forte
> Ta faiblesse t'est rempart
> Ta douceur bouclier
> Tu es le présent et l'avenir mystérieux
> Tu es celle qui saura ce que nous entrevoyons
> Sois bénie, ô enfant
> venue du soleil levant.

Nous l'avions appelée Aurore.

Claudette Combes, *Les enfants de la joie* © Éditions Robert Laffont, 1979

* * *

Compréhension du texte

1. Comment, à l'approche de Noël, les parents adoptifs considèrent-ils l'arrivée de cette petite fille coréenne ?
2. Où l'attendent-ils ?
3. Outre les parents, quelles sont les personnes qui attendent particulièrement cette petite fille ?
4. Pourquoi Claudette Combes était-elle angoissée à l'aéroport ?
5. Comment ont-ils reconnu leur bébé ?
6. La petite fille a-t-elle été apeurée lorsqu'elle fut remise à ses parents adoptifs ?
7. Pourquoi était-elle pâle ?
8. Comment les autres enfants ont-ils accueilli leur petite sœur ?
9. Pourquoi l'ont-ils appelée Aurore ?
10. À votre avis, quels sentiments ressortent de ce texte ?

Enrichissement lexical

1. Expliquez les expressions suivantes :
   • Je faisais les cent pas…
   • Le temps était figé.
   • L'angoisse s'insinuait en moi.
   • Tout en moi fondait.
2. Que peut-on adopter d'autre qu'un enfant ?

Sensibilisation grammaticale

1. Justifiez l'orthographe des participes passés de la phrase suivante :

Elle m'a regardée le plus sérieusement du monde, gravement, puis elle a ouvert sa menotte comme une fleur, a tété son pouce, s'est endormie dans mes bras.

2. Les temps du passé. Complétez les verbes suivants au passé :

Lorsque les jumeaux, mon petit frère et ma petite sœur, (naître) je (avoir) quatre ans. Ce (être) pour moi une très grande joie. Jusqu'à cette époque, j' (être) fille unique et d'un seul coup je (se retrouver) l'aînée d'une famille nombreuse. J' (espérer) depuis longtemps avoir un frère ou une sœur et là, les deux en même temps (arriver). J' (être) très fière et j' (annoncer) à qui (vouloir) l'entendre, la naissance de mon petit frère et de ma petite sœur. Le jour où mes parents les (ramener) à la maison, je (rester) avec mes grands-parents qui (s'installer) chez nous quelques semaines avant la naissance pour venir nous aider. Lorsqu'ils (franchir) le seuil de la maison, mon grand père (mettre) une musique festive et (filmer) avec la caméra cet événement familial qui (bouleverser) pendant de nombreuses années la vie tranquille de notre petite famille. Nous (être ému) tous. Ma mère, pour leur sortie de la maternité, les (habiller) avec des petits pyjamas identiques. Ils (être) si petits et si mignons.

Travail écrit

- Racontez l'arrivée d'un enfant dans votre vie familiale (un petit frère ou petite sœur, un cousin, votre propre enfant…).
- Choisissez un événement familial qui a marqué votre famille et essayez de vous remémorer les réactions de tous les membres de la famille.
- Comment les autres membres de la famille ont-ils réagi ?

Travail oral

- Cette rencontre vous paraît-elle émouvante ? Qu'est-ce qui vous a plus particulièrement frappé(e) dans les sentiments exprimés ?
- Racontez une rencontre avec quelqu'un que vous avez vu pour la première fois et qui vous a témoigné tout de suite de l'amitié.
- Quelles sont les phrases chaleureuses que l'on peut dire lors d'une première rencontre ? Envisagez des situations différentes.

Texte 32

Les joies et les dangers de la haute montagne

* * *

Rien de plus simple et de plus banal qu'un sommet. Un tertre d'éboulis, deux ou trois blocs rocheux, une corniche de neige ou un dôme de glace sont à peu près tout ce qu'on y trouve… Ce n'est même pas la fin des efforts puisqu'il reste encore ceux de la descente !

Pourquoi, alors, cette satisfaction toujours, cette fierté, parfois, d'avoir conquis bien davantage qu'une vulgaire élévation de la croûte terrestre ? C'est qu'il y a une richesse affective incomparable là-haut. Une richesse qui se grave au fer rouge dans les mémoires. Un moment qui restera toujours présent dans notre esprit comme la conclusion d'un effort désintéressé mais pas seulement ludique, l'épilogue d'une confrontation volontaire avec des risques inutiles qui nous ouvrent d'insondables perspectives sur le sens de notre existence et sur des dimensions intérieures souvent méconnues.

Chacun exprime ce plaisir à sa manière. Christine rit de contentement tandis que Marc libère enfin ses angoisses par un formidable cri envoyé à tous les échos de la terre. Tous deux sont arrivés à réaliser ce qu'ils n'auraient jamais imaginé être capables d'accomplir. L'impossible pour eux est devenu réalité.

Sommet… En ce qui me concerne, il s'agit toujours d'une irremplaçable rencontre avec la montagne, d'un lieu magique, que je fréquente comme le chœur d'une église, avec vénération, avec recueillement. Dieu, s'il existe, est sans aucun doute présent sur le culmen des montagnes et les croyants qui visitent ces lieux ne peuvent manquer de lui adresser prières et louanges comme ils le font dans les cathédrales. Les peuples de l'Himalaya, pétris de sagesse, prétendent d'ailleurs que le sommet se trouve sur le genou des Dieux… Tout proche de lui.

(…) On reste cependant confondu devant la déconcertante banalité des causes qui président les drames de la montagne. Confondu au point de se dire que le plus méfiant, le plus prudent, le plus expérimenté des guides, n'est pas à l'abri d'une avalanche, d'une chute de pierre, d'une crevasse ou de la maladresse d'un client… Il suffit de quelques secondes d'inattention, d'une excessive confiance en soi, il suffit de n'être qu'un homme.

(…) Ainsi, spectaculaires, fréquentes, mais aussi imprévisibles et sournoises, les avalanches sont omniprésentes dans la vie du professionnel qui sillonne glaciers, couloirs et pentes de neige. Été, hiver… aucune saison ne l'exonère de cette menace majeure! Et, quand on examine la liste des alpinistes qui en ont été victimes, on ne peut que faire preuve d'humilité en évoquant un tel phénomène. Les meilleurs, les plus chevronnés, les plus célèbres se sont laissés prendre à ce piège.

Avalanche? Elle survient là où vous ne l'attendez pas. Là où vous avez cessé d'être vigilant, là où vous pensez être à l'abri, là où aucune caractéristique du manteau neigeux ne vous semble suspecte.

Cela commence par un souffle à peine perceptible, juste un soupir, un « wouff… » insignifiant. Déjà il est trop tard! La neige s'affaisse sous vos skis, une zébrure court vers vous à la vitesse de l'éclair, le sol devient tout à coup mouvant. Avec un grondement très doux, il glisse vers la vallée, se déforme, se disloque… Et vous voudriez vous en échapper! Mais c'est impossible… La neige vous tire par les pieds, elle vous entraîne inexorablement, vous bouscule, vous renverse, vous roule, vous submerge… le grondement s'enfle. La glissade s'accélère. Ce n'est plus la soyeuse coulée du départ, c'est un torrent impétueux, puissant, irrésistible, qui charrie des tonnes et des tonnes de neige compacte, qui saute des barres rocheuses, qui déracine les arbres, les broie comme fétus de paille.

Daniel Grevoz. *Guide de Haute Montagne*, PUG, 2002

* * *

Compréhension du texte

1. Quelle est la profession de l'auteur de ce texte?

2. Quels sentiments analyse-t-il à l'atteinte d'un sommet?

3. À quoi compare-t-il l'atteinte d'un sommet?

4. Peut-on oublier l'ascension d'un sommet? Quelle phrase du texte le précise?

5. Certains alpinistes prudents sont-ils à l'abri d'un accident en montagne?

6. Que signifie la phrase: Il suffit de n'être qu'un homme?

7. Les avalanches sont-elles plus fréquentes en été qu'en hiver?

8. Peut-on prévoir l'arrivée d'une avalanche?

9. Comment l'auteur la décrit-il?

10. L'avalanche est-elle précédée par un grondement comme un coup de tonnerre?

Enrichissement lexical

1. Qu'est ce qu'un tertre d'éboulis ; un alpiniste chevronné ; une crevasse ; une cime ?
2. Si vous deviez entreprendre une excursion en haute montagne, quel matériel emporteriez-vous ?
3. Chercher une onomatopée dans le texte. Trouvez-en d'autres dans la langue française.

Sensibilisation grammaticale

1. Sans que sa finalité ne soit un sommet. Pourquoi le subjonctif est-il employé dans cette phrase ?

Écrivez trois phrases où le subjonctif sera employé avec cette même construction.

2. Quel est le temps d'avoir conquis.

Écrivez trois phrases avec des verbes employés au même temps.

Travail écrit (au choix)

1. Si vous faites de la montagne vous racontez une excursion que vous avez faite.
2. La montagne vous paraît-elle une école de vie ?
3. L'importance du sport dans la vie actuelle.
4. Avez-vous un champion sportif préféré ? Décrivez-le et expliquez pourquoi.

Travail oral

Quel est votre sport préféré ? Expliquez pourquoi. Chacun s'exprime à tour de rôle.

PARTIE XI

Le théâtre

La langue du théâtre est spécifiquement orale.
Elle est différente de la langue écrite.
Elle s'étend à tous les niveaux de langage.

Texte 33
La supercherie d'une servante

Une des pièces de Molière les plus célèbres. Argan est persuadé qu'il est un grand malade. Il ennuie toute sa famille avec ses maladies imaginaires et constantes. Sa jeune servante Toinette, exaspérée par cette angoisse permanente, a l'idée, un jour, de se déguiser en grand médecin et de venir lui faire une visite inattendue. Argan en est flatté ; il ne la reconnaît pas et ne comprend en rien qu'elle se moque de lui, même lorsque le ton de Toinette atteint les limites du ridicule.

* * *

Toinette. Monsieur, je vous demande pardon de tout mon cœur.

Argan. Cela est admirable !

Toinette. Vous ne trouverez pas mauvais, s'il vous plaît, la curiosité que j'ai eue de voir un illustre malade comme vous êtes, et votre réputation qui s'étend partout, peut excuser la liberté que j'ai prise.

Argan. Monsieur, je suis votre serviteur[1].

Toinette. Je vois, monsieur, que vous me regardez fixement. Quel âge croyez-vous bien que j'aie ?

Argan. Je crois que tout au plus vous pouvez avoir vingt-six ou vingt-sept ans.

Toinette. Ah ! ah ! ah ! ah ! ah ! J'en ai quatre-vingt-dix.

Argan. Quatre-vingt-dix ?

Toinette. Oui. Vous voyez un effet des secrets de mon art, de me conserver aussi frais et vigoureux.

Argan. Par ma foi, voilà un beau jeune vieillard pour quatre-vingt-dix ans.

Toinette. Je suis médecin passager, qui vais de ville en ville pour chercher d'illustres matières à ma capacité, pour trouver des malades dignes de m'occuper, capables d'exercer les grands et beaux secrets que j'ai trouvés dans la médecine. Je dédaigne de m'amuser à ce menu fatras de maladies ordinaires, à ces bagatelles de rhumatismes et de fluxions,

---

1. Formule de politesse très courante au XVIIᵉ siècle pour saluer quelqu'un.

à ces fièvrotes, à ces vapeurs et à ces migraines. Je veux des maladies d'importance, de bonnes fièvres continues, avec des transports au cerveau, de bonnes fièvres pourprées[2], de bonnes pestes, de bonnes hydropisies[3] formées, de bonnes pleurésies, avec des inflammations de poitrine : c'est là que je me plais, c'est là que je triomphe ; et je voudrais, monsieur, que vous eussiez toutes les maladies que je viens de dire, que vous fussiez abandonné de tous les médecins, désespéré, à l'agonie, pour vous montrer l'excellence de mes remèdes, et l'envie que j'aurais de vous rendre service.

Argan. Je vous suis obligé, monsieur, des bontés que vous avez pour moi.

Toinette. Donnez-moi votre pouls. Allons donc, que l'on batte comme il faut. Ah ! je vous ferai bien aller comme vous devez.
Ouais ! Ce pouls-là fait l'impertinent ; je vois bien que vous ne me connaissez pas encore. Qui est votre médecin ?

Argan. Monsieur Purgon

Toinette. Cet homme-là n'est point écrit sur mes tablettes entre les grands médecins. De quoi dit-il que vous êtes malade ?

Argan. Il dit que c'est du foie, et d'autres disent que c'est la rate.

Toinette. Ce sont tous des ignorants. C'est du poumon que vous êtes malade.

Argan. Du poumon ?

Toinette. Oui. Que sentez-vous ?

Argan. Je sens de temps en temps des douleurs de tête.

Toinette. Justement, le poumon.

Argan. Il me semble parfois que j'ai un voile devant les yeux.

Toinette. Le poumon.

Argan. J'ai quelquefois des maux de cœur.

Toinette. Le poumon.

Argan. Je sens parfois des lassitudes par tous les membres.

Toinette. Le poumon.

Argan. Et quelquefois il me prend des douleurs dans le ventre, comme si c'étaient des coliques.

Toinette. Le poumon. Vous avez appétit à ce que vous mangez ?

Argan. Oui, monsieur.

---

2. Fièvres avec des taches rouges, du genre de la rougeole ou de la scarlatine.
3. Accumulation d'eau dans le corps.

Toinette. Le poumon. Vous aimez à boire un peu de vin ?

Argan. Oui, monsieur.

Toinette. Il vous prend un petit sommeil après le repas, et vous êtes bien aise de dormir ?

Argan. Oui, monsieur.

Toinette. Le poumon, le poumon, vous dis-je. Que vous ordonne votre médecin pour votre nourriture ?

Argan. Il m'ordonne du potage.

Toinette. Ignorant

Argan. De la volaille.

Toinette. Ignorant

Argan. Du veau.

Toinette. Ignorant !

Argan. Des bouillons.

Toinette. Ignorant !

Argan. Des œufs frais.

Toinette. Ignorant !

Argan. Et le soir des petits pruneaux pour lâcher le ventre.

Toinette. Ignorant !

*Ar*gan. Et surtout de boire mon vin fort trempé.

Toinette. Ignorantus, ignoranta, ignorantum ! Il faut boire votre vin pur ; et pour épaissir votre sang qui est trop subtil, il faut manger du bon gros bœuf, du bon gros porc, de bon fromage de Hollande. Votre médecin est une bête…

Le Malade Imaginaire, 1673. Acte III. Scène X

* * *

Compréhension du texte

1. Qui sont les personnages ?
2. Quel est le but de Toinette ?
3. Pourquoi se déguise-t-elle en médecin ?
4. Avez-vous déjà vu des gravures de médecins du temps de Molière ? Comment étaient-ils habillés ?

5. À quoi voyez-vous que Molière se moque des médecins?

6. À quoi voyez-vous que Toinette se moque d'Argan?

7. Argan est-il intelligent?

8. Toinette est-elle intelligente?

9. Pourquoi dit-elle qu'elle a 90 ans?

10. Quels sont les arguments qu'emploie Toinette pour se faire prendre au sérieux?

Enrichissement lexical

1. Relevez les expressions qui relèvent de la politesse du XVIIe siècle.

2. Relevez les mots qui relèvent de la médecine

Sensibilisation grammaticale

1. Les manières d'augmenter ou de diminuer.
   Relever dans le texte une manière de diminuer le sens d'un mot.
   Relever des manières d'augmenter le sens d'un mot.

2. Quel est le sens du subjonctif dans l'expression: que l'on batte comme il faut?

Travail écrit (au choix)

1. Que pensez-vous des médecines douces?

2. Qu'est pour vous un « bon médecin »?

3. Est-il important pour un médecin de se préoccuper de l'état moral de son patient ou doit-il seulement soigner la maladie en laissant au psychiatre le soin de soigner le mental?

Travail oral

Jeu de rôle.
Inventez un dialogue entre un malade et son médecin au cours d'une consultation et mimez-le.

Texte 34
Une étrange leçon de phonétique

Monsieur Jourdain voudrait avoir une condition sociale de gentilhomme. Il se rend compte qu'il n'a aucune culture. Aussi fait-il venir chez lui un maître à danser et un philosophe qui rient intérieurement de sa bêtise et de son ignorance et se moquent de ses réponses naïves. Dans cette scène, le maître de philosophie enseigne à M. Jourdain comment prononcer clairement les voyelles. Sous des dehors faciles, cet enseignement de la phonétique reste, pour les comédiens actuels, une des bases des premiers exercices de prononciation et d'articulation.

* * *

Le maître de philosophie. Que voulez-vous que je vous apprenne?

M. Jourdain. Apprenez-moi l'orthographe.

Le maître de philosophie. Très volontiers.

M. Jourdain. Après, vous m'apprendrez l'almanach, pour savoir quand il y a de la lune, et quand il n'y en a point.

Le maître de philosophie. Soit. Pour bien suivre votre pensée, et traiter cette matière en philosophie, il faut commencer, selon l'ordre des choses, par une exacte connaissance de la nature des lettres, et de la différente manière de les prononcer toutes. Et là-dessus j'ai à vous dire que les lettres sont divisées en voyelles parce qu'elles expriment les voix; et en consonnes, ainsi appelées consonnes, parce qu'elles sonnent avec les voyelles, et ne font que marquer les diverses articulations des voix. Il y a cinq voyelles ou voix: A, E, I, O, U.

M. Jourdain. J'entends tout cela.

Le maître de philosophie. La voix A se forme en ouvrant fort la bouche: A.

M. Jourdain. A. A. Oui.

Le maître de philosophie. La voix E se forme en rapprochant la mâchoire d'en bas de celle d'en haut: A, E.

M. Jourdain. A, E, A, E. Ma foi, oui! Ah! que cela est beau!

Le maître de philosophie. Et la voix I, en rapprochant encore davantage les mâchoires l'une de l'autre, et écartant les deux coins de la bouche vers les oreilles: A, E, I.

M. Jourdain. A, E, I, I, I, I. Cela est vrai. Vive la science !

Le maître de philosophie. La voix O se forme en rouvrant les mâchoires, et rapprochant les lèvres par les deux coins ; le haut et le bas : O.

M. Jourdain. O, O. Il n'y a rien de plus juste : A, E, I, O, I, O. Cela est admirable ! I, O, I, O.

Le maître de philosophie. L'ouverture de la bouche fait justement comme un petit rond qui représente un O.

M. Jourdain. O, O, O. Vous avez raison. O. Ah ! la belle chose que de savoir quelque chose !

Le maître de philosophie. La voix U se forme en rapprochant les dents sans les joindre entièrement, et allongeant les deux lèvres en dehors, les approchant aussi l'une de l'autre, sans les joindre tout à fait : U.

M. Jourdain. U, U. Il n'y a rien de plus véritable : U.

Le maître de philosophie. Vos deux lèvres s'allongent comme si vous faisiez la moue : d'où vient que si vous la voulez faire à quelqu'un, et vous moquer de lui, vous ne sauriez lui dire que U.

M. Jourdain. U, U. Cela est vrai. Ah ! que n'ai-je étudié plus tôt, pour savoir tout cela !

Le maître de philosophie. Demain, nous verrons les autres lettres qui sont les consonnes.

M. Jourdain. Est-ce qu'il y a des choses aussi curieuses qu'à celles-ci ?

Le maître de philosophie. Sans doute. La consonne D par exemple, se prononce en donnant du bout de la langue au-dessus des dents d'en haut : DA.

M. Jourdain. DA, DA. Oui ! Ah ! les belles choses ! les belles choses !

Le maître de philosophie. L'F, en appuyant les dents d'en haut sur la lèvre de dessous : FA.

M. Jourdain. FA, FA. C'est la vérité. Ah ! mon père et ma mère, que je vous veux du mal.

Le maître de philosophie. Et l'R, en portant le bout de la langue jusqu'au haut du palais ; de sorte qu'en étant frôlée par l'air qui sort avec force, elle lui cède, et revient toujours au même endroit, faisant une manière de tremblement : R, RA.

M. Jourdain. R, R, RA ; R, R, R, R, R, RA. Cela est vrai. Ah ! l'habile homme que vous êtes, et que j'ai perdu de temps ! R, R, RA.

Le maître de philosophie. Je vous expliquerai toutes ces curiosités.

M. Jourdain. Je vous en prie. Au reste, il faut que je vous fasse une confidence. Je suis amoureux d'une personne de grande qualité, et je souhaiterais que vous m'aidassiez à lui écrire quelque chose dans un petit billet que je veux laisser tomber à ses pieds.

Le maître de philosophie. Fort bien !

M. Jourdain. Cela sera galant, oui.

Le maître de philosophie. Sans doute. Sont-ce des vers que vous lui voulez écrire ?

M. Jourdain. Non, non, point de vers.

Le maître de philosophie. Vous ne voulez que de la prose ?

M. Jourdain. Non, je ne veux ni prose, ni vers.

Le maître de philosophie. Il faut bien que ce soit l'un ou l'autre.

M. Jourdain. Pourquoi ?

Le maître de philosophie. Pour la raison, monsieur, qu'il n'y a pour s'exprimer que la prose et les vers.

M. Jourdain. Il n'y a que la prose et les vers ?

Le maître de philosophie. Non, monsieur. Tout ce qui n'est point prose est vers, et tout ce qui n'est point vers est prose.

M. Jourdain. Et comme l'on parle, qu'est-ce que c'est donc ?

Le maître de philosophie. De la prose.

M. Jourdain. Quoi ! quand je dis : « Nicole, apportez-moi mes pantoufles et me donnez mon bonnet de nuit », c'est de la prose ?

Le maître de philosophie. Oui, monsieur.

M. Jourdain. Par, ma foi, il y a plus de quarante ans que je dis de la prose, sans que je n'en susse rien et je vous suis le plus obligé du monde de m'avoir appris cela.

Molière, *Le Bourgeois gentilhomme*, 1670. Acte II. Scène IV

* * *

Compréhension du texte

1. Le maître de philosophie est-il très instruit ?

2. Pourquoi M. Jourdain veut-il apprendre l'almanach ?

3. Est-il nécessaire pour lui d'apprendre à prononcer les voyelles ?

4. La prononciation des voyelles est-elle la même dans toutes les langues ?

5. Relevez les expressions qui montrent la naïveté de M. Jourdain.

6. Pourquoi M. Jourdain dit-il : Ah mon père et ma mère que je vous veux du mal ?

7. À propos de quelle circonstance découvre-t-il l'existence de la prose et de la poésie ?

8. Quelle est sa réaction ?

9. L'impératif a-t-il changé de forme depuis le XVIIᵉ siècle ? Dans quelle expression le voyez-vous ?

10. Quels sont les sentiments de M. Jourdain quand il découvre qu'il parle en prose ?

Enrichissement lexical

1. Que signifie l'expression j'entends tout cela ? Quel est le sens du verbe j'entends. Trouvez deux autres sens du verbe entendre.

2. Que signifie l'habile homme ? Quel autre sens peut-on donner à l'adjectif habile ?

Sensibilisation grammaticale

1. Dans quelle expression du texte le verbe avoir marque-t-il la tâche à accomplir ? Écrivez trois phrases sur le même modèle.

2. Pourquoi M. Jourdain ne dit-il pas : je souhaite que vous m'aidiez à lui écrire quelque chose, à la place du je souhaiterais qu'il emploie ?

3. Écrivez au style indirect la première tirade du maître de philosophie : Le maître de philosophie dit à M. Jourdain que…

Travail écrit

M. Jourdain s'écrie : Ah ! la belle chose que de savoir quelque chose. Quelle est pour vous l'importance de la culture dans la vie ? Quelle sorte de culture vous paraît essentielle (ou superflue) ? Un homme ou une femme cultivée vous semblent-ils plus heureux que les autres ?

Travail oral

• Quelle est votre impression sur cette leçon de phonétique ? (chacun s'exprime à tour de rôle).

• Comment feriez-vous pour expliquer la prononciation des voyelles françaises à un étranger ?

• L'écoute de la télévision peut-elle être un facteur de bonne prononciation d'une langue ?

Texte 35
Le secret professionnel

Dans sa très célèbre trilogie destinée au cinéma (Marius, Fanny, César) Marcel Pagnol (1895-1974) de l'Académie française, met en scène le petit monde commerçant du vieux port de Marseille. Honorine est la mère de Fanny, Claudine est sa tante. Fanny est amoureuse de Marius qui est parti depuis plusieurs mois et ne donne plus de ses nouvelles La mère et la tante de Fanny s'en inquiètent et essaient de savoir par le facteur, si vraiment il n'a jamais écrit.

Remarquez dans ce texte la présence de didascalies c'est-à-dire des précisions de mises en scène.

* * *

SCÈNE II

Le facteur, Honorine, Claudine.

On entend dans le corridor une voix sonore.

Le facteur. Madame Cabanis

Honorine. C'est le facteur.

Honorine ouvre la porte. Le facteur paraît.

Le facteur. Une lettre recommandée, et ça vient de Toulon.

Honorine. C'est mon fournisseur de moules[1]. (Elle prend le petit carnet) Où c'est que je signe ?

Le facteur. Là. (Pendant qu'Honorine signe, le facteur se tourne galamment vers Claudine). Alors, madame Claudine, vous êtes un peu Marseillaise, aujourd'hui ?

Claudine. Eh oui ! Je viens passer la journée chez ma sœur.

Le facteur. Elle est si brave votre sœur !

Claudine. Ah oui, qu'elle est brave !

Le facteur (machiavélique). Moi, vous savez comment je le sais qu'elle est brave ?

---

1. Honorine vend des moules sur le Vieux Port de Marseille.

Claudine. Non, je ne sais pas.

Le facteur. Eh bien, je le sais, parce que chaque fois que je lui apporte une lettre recommandée, c'est rare si elle m'offre pas un verre de petit vin blanc.

Honorine. Mais c'est tout naturel ! et aujourd'hui, ça sera comme les autres fois.

Le facteur (digne). Ah ! non, pas aujourd'hui.

Honorine. Et pourquoi ?

Claudine. Vous êtes malade ?

Le facteur. Oh ! non pas du tout, seulement après ce que je viens de dire, vous pourriez vous imaginer que je l'ai demandé. Ca ne serait pas délicat.

Honorine. Qué, délicat ! tenez, c'est du bon petit vin blanc de Cassis.

Elle verse un verre de vin.

Le facteur. Parce que les choses qu'on vous offre, ça fait toujours plaisir. Mais s'il faut les demander, eh bien, moi, ce n'est pas mon genre. À la vôtre.

Il boit.

Claudine (à voix basse à Honorine). Demande-z'y !

Honorine. Quoi ?

Claudine. Ce que tu me disais tout à l'heure, il le sait, lui.

Honorine. C'est vrai. (Elle s'approche du facteur). Dites, facteur, il faudrait que je vous demande un service.

Le facteur. (Il se verse un verre de vin blanc*)*. Bon, allez-y, Norine.

Honorine. Est-ce que ma fille reçoit des lettres du fils de César ?

Le facteur (digne). Ah ! permettez. Cette question, je n'ai pas le droit d'y répondre.

Claudine. Et pourquoi ?

Le facteur. Et le secret professionnel ? Qu'est-ce que vous en faites ? Vous savez ce que c'est, vous, le secret professionnel ? Non. Moi je le sais.

Honorine. Écoutez, il s'agit de ma fille. Il s'agit de choses très importantes pour moi. Dites-moi seulement oui ou non.

Le facteur (solennel). Honorine, malgré toute mon amitié pour vous, et malgré mon respect pour votre vin blanc, je ne peux rien vous dire. Impossible. je voudrais parler, mais je ne peux pas. Figurez-vous que j'ai sur la bouche un de ces gros cachets de cire rouge qu'on met sur les lettres chargées. Simplement. Alors, je voudrais parler, j'essaie, mais je ne peux pas.

Honorine. Allez !

Claudine. Ce n'est pourtant pas difficile de dire oui ou non.

Le facteur. Mais malheureuse, réfléchissez une demi-seconde. Dans cette boîte il y a chaque matin les secrets de toutes les familles du quai de Rive Neuve. Si j'allais dire, même à ma femme, même dans l'obscurité, même à voix basse, que M. Lèbre reçoit à son bureau de petites lettres roses comme celle-ci (il brandit une lettre). Elle vient d'Antibes, du Casino où chante Mlle Félicia. Si j'allais dire que cette lettre (il brandit une autre lettre) adressée à Mme Cadolive, vient de la prison d'Aix où son fils aîné finit ses trois ans pour cambriolage… Qu'est-ce que vous penseriez de moi ? Non, non, ça c'est le secret professionnel ! et celui qui ne le respecte pas, c'est un mauvais facteur qui mérite d'aller en galère. Aussi, moi je ne lis même pas les cartes postales ; je ne lis que l'adresse, de l'œil droit.

Marcel Pagnol, *Fanny*, 1931. Deuxième tableau. Scène II. © Éditions de Fallois

* * *

Compréhension du texte

1. Que pensez-vous de ce facteur ?

2. Est-il rusé ? Donnez un exemple.

3. Pourquoi Honorine lui offre-t-elle si rapidement un verre de vin blanc ?

4. Pourquoi à un moment refuse-t-il le verre de vin ?

5. Pourquoi estime-t-il qu'il ne peut pas répondre à la question d'Honorine ?

6. Avez-vous déjà vu sur des lettres des cachets de cire rouge ?

7. Est-il normal qu'il parle du secret de M. Lèbre ?

8. Est-il conscient que sans s'en apercevoir il viole le secret professionnel ?

9. Est-il intelligent ?

10. Est-il respectueux de son métier ?

Enrichissement lexical

1. L'adjectif « petit ».

Quel est le sens de « petit » dans un petit vin blanc ?

Donner le sens des expressions suivantes :

• Ce n'est pas une petite affaire.

• Le petit jour.

• Un petit commerce.

• Être aux petits soins pour quelqu'un.

2. Que signifie : • « aller aux galères » ?
- • Un travail de galérien.
- • C'est la galère.
- • Il a galéré toute sa vie.

Sensibilisation grammaticale

1. Relevez dans ce texte trois fautes grammaticales, fréquentes dans le langage populaire.

2. Malgré + un nom

Écrivez trois phrases en employant malgré + un nom

Travail écrit

1. Racontez dans un récit le déroulement de cette scène.

2. Inventez une autre histoire dans laquelle quelqu'un pose à quelqu'un d'autre des questions indiscrètes relevant du secret professionnel.

Travail oral

Mimez cette scène avec trois personnages.

Que pensez-vous du secret professionnel ? Envisagez le cas dans d'autres situations professionnelles.

PARTIE XII

La poésie

Texte 36

Le XVIᵉ siècle français a connu un magnifique renouveau de la poésie à travers le mouvement des poètes de la Pléiade dont Ronsard et Du Bellay sont les plus connus.

Du Bellay était né en Anjou, dans le petit village de Liré qui domine la Loire. Son oncle le cardinal Jean Du Bellay l'emmena à Rome, mais le jeune poète de trente ans supporta mal cet éloignement de sa terre natale. Il l'a exprimé dans un de ses recueils les plus célèbres : Les Regrets. *On peut encore visiter à Liré non loin de Cholet les ruines du château de la Turmelière où est né Du Bellay et près duquel a été fondé le musée Du Bellay.*

* * *

Heureux qui, comme Ulysse, a fait un beau voyage
Ou comme cestui-là[1] qui conquit la toison,
Et puis est retourné, plein d'usage et raison,
Vivre entre ses parents le reste de son âge !

Quand reverrai-je, hélas ! de mon petit village
Fumer la cheminée ? et en quelle saison
Reverrai-je le clos de ma pauvre maison,
Qui m'est une province[2] et beaucoup davantage ?

Plus me plaît le séjour qu'ont bâti mes aïeux
Que des palais romains le front audacieux,
Plus que le marbre dur, me plaît l'ardoise fine,

Plus mon Loire[3] gaulois que le Tibre latin,
Plus mon petit Liré[4] que le mont Palatin
Et plus que l'air marin la douceur angevine.

> Joachim Du Bellay (1522-1560). « *Heureux qui comme Ulysse…* »
> *Les Regrets,* poème 31 (1558)

* * *

---

1. *Cestui-là* forme ancienne de *celui-là*. Le vers fait allusion au mythe grec de la Toison d'or, et à l'exploit héroïque de Jason qui enleva la toison d'un bélier ailé gardée par un dragon redoutable.
2. Un royaume.
3. Ma Loire.
4. Village natal de Du Bellay.

Compréhension du texte

1. Pourquoi dit-on que ce poème est un sonnet ?
2. Qui parle ?
3. Quel sentiment exprime-t-il ?
4. Que savez-vous d'Ulysse et de celui-là qui conquit la toison ?
5. Pourquoi le poète compare-t-il son village à Rome ?
6. Relever dans la deuxième strophe deux tableaux intimes.
7. De quoi s'agit-il quand le poète parle du séjour qu'ont bâti mes aïeux ?
8. Pourquoi parle-t-il des fronts audacieux des palais romains ?
9. Pourquoi compare-t-il le marbre et l'ardoise ?
10. Qu'est-ce que le mont Palatin ?

Enrichissement lexical

1. Ici, province signifie royaume. Mais au XVIe siècle, les provinces constituèrent des parties du royaume de France. Citez-en cinq.
2. Que signifie la phrase la douceur angevine ?

Que signifie :
- « Prendre quelqu'un par la douceur » ?
- « La douceur de vivre » ?
- « Faire un travail en douceur » ?
- « Faire un voyage en douceur » ?
- « Aimer les douceurs » ?

Sensibilisation grammaticale

1. Relevez les archaïsmes de ce poème.
2. Relevez les comparaisons.

Travail écrit (au choix)

1. Un proverbe français dit : Partir c'est mourir un peu. Êtes-vous de cet avis ?
2. Un autre proverbe français dit : Les voyages forment la jeunesse. Qu'en pensez-vous ?

3. Racontez votre arrivée et vos découvertes dans un pays nouveau que vous ne connaissiez pas.

Travail oral

- Avez-vous aimé ce poème ? Chacun donne son opinion.
- Ces sentiments vous paraissent-ils encore valables à notre époque et pour votre génération ?
- Pourquoi est-on moins isolé maintenant lorsqu'on change de pays ?
- Avez-vous déjà éprouvé la nostalgie de votre maison ou de votre famille ? Dans quelles circonstances ?

Texte 37

Paul Verlaine (1844-1896) est attaché dans ses poèmes à donner de l'importance à la forme, en réaction aux exagérations sentimentales du romantisme, et à la musique du vers. On s'accorde à voir en lui un représentant du symbolisme.

* * *

Je fais souvent ce rêve étrange et pénétrant
D'une femme inconnue, et que j'aime, et qui m'aime
Et qui n'est, chaque fois, ni tout à fait la même
Ni tout à fait une autre, et m'aime et me comprend.

Car elle me comprend, et mon cœur, transparent
Pour elle seule, hélas! cesse d'être un problème
Pour elle seule, et les moiteurs de mon front blême
Elle seule les sait rafraîchir, en pleurant.

Est-elle brune, blonde ou rousse ?– Je l'ignore.
Son nom ? Je me souviens qu'il est doux et sonore
Comme ceux des aimés que la Vie exila.

Son regard est pareil au regard des statues,
Et, pour sa voix, lointaine et calme, et grave, elle a
L'inflexion des voix chères qui se sont tues.

Paul Verlaine, Mon Rêve familier. Poèmes Saturniens, 1866

* * *

Ce poème très beau et très connu n'est pas facile à comprendre. Vous devez d'abord le lire plusieurs fois pour essayer de saisir le sens général ? Vous répondrez ensuite aux questions suivantes.

Compréhension du texte

1. De quelle femme s'agit-il ? D'une femme connue ou d'une femme imaginée ?
2. Pour quelles raisons le poète s'attache-t-il particulièrement à cette femme ?
3. Le poète est-il heureux ou malheureux ? Justifiez votre réponse par l'exemple fourni par le texte.
4. Sait-elle consoler le poète par des paroles ?
5. Le poète l'appelle-t-il par son nom ?
6. Le poète a-t-il connu des deuils dans sa vie ? Justifiez votre réponse.
7. Aime-t-il la voix de cette femme ? Pourquoi ?
8. Est-ce que le poète peut lire la tendresse dans son regard ?
9. Cette vision de l'amour vous semble-t-elle réaliste ?
10. Quelle est la forme de ce poème ?

Enrichissement lexical

1. Qu'est-ce qu'un rêve pénétrant ?
2. Que signifie un front blême ? Citez d'autres cas où l'on peut utiliser cet adjectif.
3. Qu'est-ce que la moiteur ?
4. Qu'est-ce qu'une inflexion de voix ? Quelle différence faites-vous entre une inflexion de voix et un timbre de voix ?
5. Par quelles circonlocutions le poète évite-t-il de parler directement de la mort ?

Sensibilisation grammaticale

1. Quel est le sens de pour dans l'avant-dernier vers ? Faites une phrase de votre choix dans lequel pour sera employé avec le même sens.
2. Qui se sont tues ? Quelle est la forme de ce verbe ? Pourquoi s'accorde-t-il ainsi ?

Travail écrit

1. Verlaine donne comme première qualité à cette femme sa possibilité de compréhension. La communication entre les êtres humains vous paraît-elle le premier élément de la compréhension mutuelle ?
2. Voudriez-vous être psychologue ou psychiatre ? Pensez-vous pouvoir aider les autres en exerçant cette profession ?

3. L'écoute de l'autre vous paraît-elle une qualité essentielle dans une relation familiale, amicale ou amoureuse?

Travail oral

• Pensez-vous qu'une attitude devant la vie comme celle que Verlaine exprime dans
ce poème puisse être positive?

• Quels sont à votre avis les éléments importants de la construction d'un avenir? ou
au moins d'un projet sur sa propre vie?

Texte 38

Jacques Brel (1929-1978), né en Belgique, a écrit de nombreuses chansons qu'il chantait lui-même en s'accompagnant de sa guitare. Ce sont souvent de véritables poèmes.

* * *

Ne me quitte pas
Il faut oublier
Tout peut s'oublier
Qui s'enfuit déjà
Oublier le temps
des malentendus
Et le temps perdu
À savoir comment
Oublier ces heures
Qui tuaient parfois
À coups de pourquoi
Le cœur du bonheur
Ne me quitte pas
Ne me quitte pas

Moi je t'offrirai
Des perles de pluie
Venues de pays
Où il ne pleut pas
Je creuserai la terre
Jusqu'après ma mort
Pour couvrir ton corps
D'or et de lumière
Je ferai un domaine
Où l'amour sera roi
Où l'amour sera loi
Où tu seras reine
Ne me quitte pas
Ne me quitte pas.

Ne me quitte pas
Je t'inventerai

Des mots insensés
Que tu comprendras
Je te parlerai
De ces amants-là
Qui ont vu deux fois
Leurs cœurs s'embraser
Je te raconterai
L'histoire de ce roi
Mort de n'avoir pas
Pu te rencontrer
Ne me quitte pas
Ne me quitte pas.

On a vu souvent
Rejaillir le feu
De l'ancien volcan
Qu'on croyait trop vieux
Il est paraît-il
Des terres brûlées
Donnant plus de blé
Qu'un meilleur avril
Et quand vient le soir
Pour qu'un ciel flamboie
Le rouge et le noir
Ne s'épousent-ils pas
Ne me quitte pas
Ne me quitte pas.

Ne me quitte pas
Je ne vais plus pleurer
Je ne vais plus parler
Je me cacherai là
À te regarder
Danser et sourire
Et à t'écouter
Chanter et puis rire
Laisse-moi devenir
L'ombre de ton ombre
L'ombre de ta main
L'ombre de ton chien
Ne me quitte pas
Ne me quitte pas.

Jacques Brel, *Ne me quitte pas* © Éditions Seghers, 1964

Compréhension du texte

1. Quelle est l'idée générale de ce texte ?
2. Dans quelles dispositions d'esprit se trouve la femme à qui le poète s'adresse ?
3. Ce couple s'est-il toujours bien entendu ? Relevez les mots qui justifient votre réponse.
4. Quelles sont les promesses que fait le poète à la femme qu'il aime ? Ces promesses sont-elles réalisables ?
5. Relevez les images de renouveaux rares considérés ici comme possibles.
6. Quel est le roi imaginaire dont il parle ?
7. Le poète est-il orgueilleux ?
8. Quels mots montrent que si la femme reste avec lui, il lui promet le bonheur ?
9. Un mot de comparaison est synonyme de fidélité aveugle. Lequel ?
10. Ce poème vous paraît-il le signe d'un grand amour ? Pourquoi ?

Enrichissement lexical

1. Qu'est-ce qu'un malentendu ? Quel est le contraire de ce mot ?
2. …leurs cœurs s'embraser ? De quel mot vient ce verbe ? Que signifie-t-il ?

Sensibilisation grammaticale

1. L'impératif est très utilisé dans ce poème.
    a) Quelle est la forme affirmative de « ne me quitte pas » ?
    b) Quelle est la règle d'orthographe de l'impératif pour les verbes du 1er groupe ?
2. Dans la dernière strophe quelle est la différence de sens entre le futur proche et le futur simple ?

Travail écrit

1. Composez un texte personnel avec pour titre *Ne me quitte pas*.
2. Pensez-vous comme Jacques Brel que des cœurs peuvent deux fois s'embraser ou est-ce une utopie ?
3. Quels sont les problèmes de la séparation ou du divorce qui vous paraissent les plus difficiles à résoudre ou à vivre ?

Travail oral

1. Comment réagiriez-vous si ce poème s'adressait à vous personnellement ? (Chacun donne son point de vue).

2. Pensez-vous que le pardon soit un manque de dignité ou au contraire un signe d'intelligence et de cœur ?

PARTIE XIII

Le sketch humoristique

Le sketch humoristique est destiné à être dit devant un public qu'il faut faire rire. L'humour français n'est pas toujours facile à comprendre pour des étrangers car il s'appuie sur des vérités supposées connues par tous mais souvent exprimées en demi-mots. Les intonations de la voix contribuent à rendre le texte drôle.

Texte 39
Vive le camping

Dans ce texte l'humour consiste à reprendre des formules très simples de la vie courante en les rendant ridicules. Le style est volontairement très populaire car il reprend volontairement les fautes de français les plus courantes de la langue orale.

* * *

Avec ma sœur, nous, cette année, on a dit : « Eh bien, on va pas aller dépenser bêtement de l'argent dans des pensions de famille. Parce que c'est hors de prix. On se demande où l'on va ! tellement tout est cher ! »

Y'a pas de quoi se marrer quand je dis que tout est cher !

Comme dit mon beau-frère, le mari à ma sœur : « Vaut mieux être riche et en bonne santé que d'être malade et sans le sou. »

C'est qu'à l'heure actuelle, y'a des pensions qui coûtent jusqu'à des vingt-cinq francs[1] par jour tout compris : le petit-déjeuner, le déjeuner, le souper, tout, service compris.

Alors quand on est deux, comme ma sœur et mon beau-frère qui sont mariés, avec en plus, moi et Mlle Lelonbec, ça fait trop cher, alors on a dit : « Tiens, on va camper, comme ça on va faire des économies. »

On a été acheter une toile de tente, quatre cents francs, des matelas pneumatiques, chacun dans les trente-deux francs, ensuite un sac de couchage, ensuite tout ce qu'il faut pour le camping : un réchaud, des casseroles. On en a eu pour 6 300 francs. Eh bien ! Comme ça on a dit : « On va faire des économies. »

On était bien, on était bien ! On était dans un camp. J'sais pas si vous connaissez ? On était à Agay, près de Saint-Raphaël.

On était sept mille. Notre camp, vous allez le trouver facilement à Agay. Il y a la mer, il y a la route nationale, je dirais même mieux, avec le trafic qu'il y a la nuit ça doit être une route internationale. Il y a le camp, et de l'autre côté, la ligne de chemin de fer, si bien que lorsqu'on n'entendait pas les camions qui passaient, on entendait les trains qui arrivaient. cela nous changeait, nous, parce qu'à Paris, on habite derrière la Mosquée où, toute l'année, il y a un silence… et là ça changeait un peu… et *vive le camping !*

---

1. 1 franc de 1975 vaut entre 2 et 3 euros.

On était bien. Quand on va se baigner, on a chacun droit à son mètre carré. Quelqu'un voudrait se noyer, qu'il pourrait pas. Y'avait une championne de natation, elle a essayé de faire un peu de crawl, mais elle a pas pu, juste un peu de brasse, c'est tout…

Là, on était très bien, parce qu'on était entouré de gens très bien, très gentils. Je me souviens, en face de notre tente, y'avait des Allemands. Qu'est-ce qu'ils sont gentils les Allemands ! Ils se levaient le matin : *Guten Tag !* Nous, on répondait : « Euh… ». Le soir : *Good night !* Nous on répondait la même chose que le matin. Avec les Allemands, jamais il n'y a eu un mot plus haut que l'autre. On se demande même : « Pourquoi on a fait la guerre de temps en temps avec ces gens-là ? Mais qu'est-ce qu'on s'entend bien pendant les entractes ! »

Les Italiens, c'est autre chose, ils sont plus volubiles.

On savait toujours que c'était sept heures du matin : ils mettaient la radio. On savait aussi quand le soleil se levait à cause des Suédois, des Suédois Deutch – on ne sait pas bien d'où ils sont, les Deutch, ce sont des naturistes du Nord. Ils étaient là, torse nu : *Aie swain, aie swain.*

Le Belge, c'est autre chose. Lui, c'est la gentillesse même : « Si vous avez besoin de quelque chose, faut pas vous gêner ! Ici on est entre nous, on est en compagnie, hein ?

– Merci beaucoup on n'a besoin de rien. »

Dix minutes après : « Si vous avez besoin d'une casserole ou quoi que ce soit, faut pas vous gêner !

– Merci. »

Un quart d'heure après : « Si vous avez besoin de sel ou de pain, c'est pas la peine de faire la queue pendant des heures le matin.

– Non. »

Vive les Belges ! Vive le camping !

Fernand Raynaud, Heureux © Éditions de la Table Ronde, 1975

* * *

Compréhension du texte

1. Pourquoi ont-ils décidé de faire du camping ?

2. Pourquoi tout le monde éclate de rire quand il dit que tout est cher ?

3. Pourquoi le nom de Mlle Lelonbec est-il drôle ?

4. Trouve-t-il économique de faire du camping ?

5. Trouve-t-il le camping d'Agay reposant ?

6. Est-il agréable de se baigner ?

7. Pourquoi ne parle-t-il pas avec les Allemands ?

8. Quel est son jugement sur les Italiens ?

9. Pourquoi dit-il *Vive les Belges* ?

10. D'après ce sketch, quel est le caractère de son auteur ?

Enrichissement lexical

1. Que signifient les expressions : être hors de prix ; on se demande où l'on va ; dire un mot plus haut que l'autre ?

2. Que signifient les expressions : payer en argent comptant ; payer en argent liquide ; faire travailler son argent ; une rentrée d'argent ; prendre quelque chose pour argent comptant ; l'argent lui fond dans les mains ?

3. Trouver des phrases de langage parlé pour dire que quelque chose coûte cher.

Sensibilisation grammaticale

Certaines phrases de ce sketch comportent des fautes de français. Rétablissez correctement les phrases suivantes :

• Y a pas de quoi se marrer…

• Le mari à ma sœur…

• On a été acheter…

• J'sais pas si…

Travail écrit (au choix)

1. Que signifie pour vous le mot « vacances » ? Quels sont pour vous les meilleurs moyens de prendre de vraies vacances ?

2. Racontez les plus belles vacances de votre vie.

Travail oral

Racontez avec humour une mésaventure familiale pendant des vacances ou en voyage.

Texte 40

Raymond Devos (né en 1922) est l'auteur de monologues basés sur les jeux de mots. Grand admirateur et fin connaisseur de la langue française il sait faire rire ses auditeurs par des mots à double sens, des homonymes, des mots pris à la lettre, etc.

* * *

Où courent-ils ?

L'artiste (entrant) :

> Excusez-moi, je suis un peu essoufflé !
> Je viens de traverser une ville
> où tout le monde courait…
> Je ne peux pas vous dire laquelle…
> je l'ai traversée en courant.
> Lorsque j'y suis entré, je marchais normalement.
> Mais quand j'ai vu que tout le monde courait…
> je me suis mis à courir comme tout le monde,
> sans raison !
> À un moment, je courais au coude à coude
> avec un monsieur…

Je lui dis :
> – Dites-moi… pourquoi tous ces gens-là courent-ils comme des fous ?

Il me dit :
> – Parce qu'ils le sont !

Il me dit :
> – Vous êtes dans une ville de fous ici… Vous n'êtes pas au courant ?

Je lui dis :
> – Si, des bruits ont couru !

Il me dit :
> – Ils courent toujours !

Je lui dis :
> – Qu'est ce qui fait courir tous ces fous ?

Il me dit :
> – Tout ! Tout !

Il y en a qui courent au plus pressé.
D'autres qui courent après les honneurs…
Celui-ci court pour la gloire…
Celui-là court à sa perte !

Je lui dis :
— Mais pourquoi courent-ils si vite ?

Il me dit :
— Pour gagner du temps !
Comme le temps, c'est de l'argent… plus ils courent vite, plus ils en gagnent !

Je lui dis :
— Mais où courent-ils ?

Il me dit :
— À la banque. Le temps de déposer l'argent qu'ils ont gagné sur un compte courant…
et ils repartent toujours courant, en gagner d'autre !

Je lui dis :
— Et le reste du temps ?

Il me dit :
— Ils courent faire leurs courses… au marché !

Je lui dis :
— Pourquoi font-ils leurs courses en courant ?

Il me dit :
— Je vous l'ai dit… parce qu'ils sont fous !

Je lui dis :
— Ils pourraient aussi bien faire leur marché en marchant… tout en restant fous !

Il me dit :
— On voit bien que vous ne les connaissez pas !
D'abord, le fou n'aime pas la marche…

Je lui dis :
— Pourquoi ?

Il me dit :
— Parce qu'il la rate !

Je lui dis :
Pourtant, j'en vois un qui marche !

Il me dit :
— Oui c'est un contestataire !
Il en avait assez de toujours courir comme un fou.
Alors il a organisé une marche de protestation !

Je lui dit :

    – Il n'a pas l'air d'être suivi ?

Il me dit :

    – Si ! Mais comme tous ceux qui le suivent courent, il est dépassé !

Je lui dis :

    – Et vous, peut-on savoir ce que vous faites dans cette ville ?

Il me dit :

    – Oui ! Moi, j'expédie les affaires courantes.
    Parce que même ici, les affaires ne marchent pas !

Je lui dis :

    – Et où courez-vous là ?

Il me dit :

    – Je cours à la banque !

Je lui dis :

    – Ah… Pour y déposer votre argent ?

Il me dit :

    – Non ! Pour le retirer !
    Moi, je ne suis pas fou !

Je lui dis :

    – Si vous n'êtes pas fou, pourquoi restez-vous dans une ville où tout le monde l'est ?

Il me dit :

    – Parce que j'y gagne un argent fou !..
    C'est moi le banquier !

Raymond Devos, *Matière à rire, L'intégrale* © Éditions Plon/Olivier Orban, 1991

* * *

Compréhension du texte

1. Pourquoi l'artiste s'est-il mis à courir lui aussi ?

2. Qu'est-ce qui fait courir tous ces fous ? Donnez des exemples.

3. Que signifient les expressions suivantes :
   • Des bruits ont couru !
   • Courir au plus pressé.
   • Courir après les honneurs…
   • Courir pour la gloire
   • Courir à sa perte

4. Qu'est-ce qu'un compte courant ?

5. Dans le texte, vous avez la phrase : le fou n'aime pas la marche… Marche ici à deux sens. Quels sont-ils ?

6. Pourquoi y a-t-il une personne qui marche.

7. Qu'est qu'une marche de protestation ?

8. Que veut dire : j'expédie les affaires courantes.

9. Trouvez un synonyme du verbe marcher dans : les affaires ne marchent pas.

10. Pour quelles raisons la personne à qui s'adresse l'artiste reste-t-elle dans la ville ?

Enrichissement lexical

1. Que signifient les expressions suivantes :
   • Courir comme un fou
   • Courir coude à coude avec quelqu'un.
   • Un contestataire.
   • Gagner un argent fou.

2. Relevez cinq phrases ou cinq expressions dans le texte qui emploient le verbe courir et réutilisez-les dans des phrases de votre choix.

Sensibilisation grammaticale

Complétez les phrases suivantes en employant le verbe courir aux temps proposés.

1. Le bruit (présent) ……………… que son père est parti. 2. Si vous étiez en retard, vous (conditionnel) ……………… 3. Autrefois nous (imparfait) ……………… pour la gloire, aujourd'hui nous (présent) ……………… pour la tranquillité. 4. Si tu n'étais pas si nerveux, nous (conditionnel) ……………… ensemble plus souvent. 5. Tu (Passé composé) ……………… deux lièvres à la fois, le résultat aujourd'hui est que tu as tout raté. 6. Hélène souhaite que nous (subjonctif présent) ……………… ensemble. 7. Dans quelques jours, nous (futur) ……………… le grand prix. 8. Tu (présent) ……………… à ta perte ! 9. Il faut que tu (subjonctif présent) ……………… le retrouver. 10. Ces garçons (imparfait) ……………… trop les filles, ils n'étaient pas sérieux. 11. Ils (conditionnel) ……………… moins vite, s'ils étaient sûrs d'y arriver à temps. 12. Tu (futur) ……………… avec ton survêtement.

2. Conjuguez le verbe courir à l'imparfait, au conditionnel, au futur et au subjonctif présent.

Travail écrit

Écrivez une lettre à votre famille en lui racontant vos premières impressions lorsque vous êtes arrivé(e) pour la première fois dans une ville que vous ne connaissiez pas.

Travail oral

Débat. Pensez-vous que courir permet de gagner du temps et donc de gagner plus d'argent ?

Texte 41
Sens dessus dessous

* * *

Actuellement,
mon immeuble est sens dessus dessous.
Tous les locataires du dessous
voudraient habiter au-dessus !
Tout cela parce que le locataire
qui est au-dessus
est allé raconter par en dessous
que l'air que l'on respirait à l'étage au dessus
était meilleur que celui que l'on respirait à l'étage
en dessous !
Alors, le locataire qui est en dessous
a tendance à envier celui qui est au-dessus
et à mépriser celui qui est en dessous.
Moi, je suis au-dessus de ça !
Si je méprise celui qui est en dessous,
ce n'est pas parce qu'il est en dessous,
c'est parce qu'il convoite l'appartement
qui est au-dessus, le mien !
Remarquez… moi, je lui céderais bien
mon appartement à celui du dessous,
à condition d'obtenir celui du dessus !
Mais je ne compte pas trop dessus.
D'abord, parce que je n'ai pas de sous !
Ensuite, au-dessus de celui qui est au-dessus,
il n'y a plus d'appartement !
Alors, le locataire du dessous
qui monterait au-dessus
obligerait celui du dessus
à redescendre en dessous.
Or, je sais que celui du dessus n'y tient pas !
D'autant que, comme la femme du dessous
est tombée amoureuse de celui du dessus,

celui du dessus n'a aucun intérêt à ce que
le mari de la femme du dessous
monte au-dessus…
Alors, là-dessus…
quelqu'un est-il allé raconter à celui du dessous
qu'il avait vu sa femme bras dessus,
bras dessous avec celui du dessus ?
Toujours est-il que celui du dessous
l'a su !
Et un jour que la femme du dessous
était allée rejoindre celui du dessus,
comme elle retirait ses dessous…
et lui, ses dessus…
soi-disant parce qu'il avait trop chaud en dessous…
Je l'ai su… parce que d'en dessous,
en entend tout ce qui se passe au-dessus…
Bref ! Celui du dessous leur est tombé dessus !
Comme ils étaient tous les deux soûls,
ils se sont tapés dessus !
Finalement, c'est celui du dessous
qui a eu le dessus !

Raymond Devos, *Matière à rire, L'intégrale* © Éditions Plon/Olivier Orban, 1991

* * *

Compréhension du texte

1. Pourquoi l'immeuble est-il sens dessus dessous ?

2. Pour quelles raisons, les locataires du dessous voudraient-ils habiter au-dessus ?

3. Pourquoi le conteur méprise-t-il celui qui est en dessous de chez lui ?

4. Qu'est-il arrivé à la femme du dessous ?

5. Comment la femme et le voisin du dessus se sont-ils promenés ?

6. Que s'est-il passé le fameux jour du drame ?

7. Que pensez-vous de ce style de texte ?

8. Comment appelle-t-on ce genre de courts textes comiques qui peuvent certaines fois être improvisés ?

9. Qu'est-ce qui fait rire dans ce texte ?

10. Connaissez-vous d'autres artistes qui ont fait ou qui font ce genre de spectacle en France et êtes-vous déjà allés les écouter ou entendu à la télévision ou sur cassette vidéo (ou DVD) ?

Enrichissement lexical

Donnez le sens des mots ou expressions suivantes :
• Sens dessus dessous.
• Raconter quelque chose par en dessous.
• Je suis au-dessus de ça.
• Convoiter quelque chose.
• Je ne compte pas trop dessus.
• Des sous ⟹ je n'ai pas de sous.
• Alors, là-dessus…
• Bras dessus bras dessous…
• Elle retirait ses dessous…
• Et lui, ses dessus…
• Il a eu le dessus !

Sensibilisation grammaticale

À partir du passage suivant et jusqu'à la fin du texte, soulignez les mots invariables qui font progresser le déroulement du récit.

Remarquez… moi, je lui céderais bien

mon appartement à celui du dessous,

à condition d'obtenir celui du dessus !

Mais je ne compte pas trop dessus.

Puis écrivez un petit texte qui réutilise en partie ces mêmes mots de liaisons.

Travail écrit (à préparer à la maison)

Présenter un artiste français qui vous fait rire. Dites dans quel spectacle ou dans quel film vous l'avez vu. Essayer d'expliquer pourquoi il fait rire (tempérament, mimiques, jeux de mots, physique, humour noir, humour, grande intelligence).

Exprimez pourquoi vous avez fait ce choix, éventuellement, présentez sa biographie, son époque, parlez d'un spectacle ou d'un film que vous avez aimé et dites pourquoi.

Travail oral

Est-ce que ce genre d'humour vous fait rire ? Si oui pourquoi ? si non pourquoi ?

Quel style de spectacle vous fait rire ou vous amuse en général ? Quels sont les artistes français qui vous ont fait rire ?

PARTIE XIV

Les textes à portée symbolique

Texte 42
La fable

La fable est un petit récit en vers destiné à illustrer un précepte, ou une morale.

La Fontaine (1621-1695) est un des écrivains français les plus célèbres. Ses douze livres de fables contiennent de fines analyses de l'âme humaine insérées dans de petits récits peignant la vie quotidienne ou les mœurs de la Cour de Louis XIV. Les conclusions que l'on peut en tirer sont toujours d'actualité car elles sont universelles.

* * *

Travaillez prenez de la peine
C'est le fonds qui manque le moins.

Un riche laboureur, sentant sa fin prochaine
Fit venir ses enfants, leur parla sans témoins.
« Gardez-vous, leur dit-il de vendre l'héritage
Que nous ont laissé nos parents :
Un trésor est caché dedans.
Je ne sais pas l'endroit ; mais un peu de courage
Vous le fera trouver : vous en viendrez à bout.
Remuez votre champ, dès qu'on aura fait l'août :
Creusez, fouillez, bêchez ; ne laissez nulle place
Où la main ne passe et repasse. »
Le père mort, les fils retournent le champ,
Deçà, delà, partout ; si bien qu'au bout de l'an
Il en rapporta davantage.
D'argent, point de caché. mais le père fut sage
De leur montrer, avant sa mort,
Que le travail est un trésor.

La Fontaine, Le laboureur et ses enfants (livre V, fable 9)

* * *

Compréhension du texte

1. De qui s'agit-il ?
2. En quelle circonstance de sa vie ?
3. Les enfants sont-ils seuls avec lui ?
4. Comment s'appelle d'une manière générale l'héritage que nous ont laissé nos parents ?
5. Pour ces enfants, quel est cet héritage ?
6. Qu'a-t-il de particulier ?
7. Que font les enfants ?
8. Ont-ils trouvé le trésor ?
9. Est-ce qu'ils sont devenus plus riches ?
10. Quelle est la morale de cette fable ?

Enrichissement lexical

1. Que signifie le fonds ? Trouver des expressions dans lesquelles ce mot sera employé.
2. Trouvez des synonymes du mot travail.

Sensibilisation grammaticale

1. Grammaticalement, comment expliquez-vous l'expression : Le père mort ?
   Faites trois phrases sur le même modèle.
2. Que manque-t-il dans la phrase : D'argent, point de caché ?

Travail écrit

1. Pensez-vous que le travail soit un trésor ? Expliquez votre point de vue.
2. L'amour du travail vous parait-il une valeur à faire passer à des jeunes actuellement ? Ou au contraire est-ce que cela vous paraît complètement désuet ? Soutenez votre point de vue à l'aide d'exemples concrets.

Travail oral

1. À votre façon, racontez cette fable.
2. Pensez-vous que la fable soit un moyen intéressant pour faire passer une valeur morale ?

Texte 43
Fable 2

* * *

La raison du plus fort est toujours la meilleure.
Nous l'allons montrer tout à l'heure.

Un agneau se désaltérait
Dans le courant d'une onde pure.
Un loup survient à jeun, qui cherchait aventure
Et que la faim en ces lieux attirait.
« Qui te rend si hardi de troubler mon breuvage ?
Dit cet animal plein de rage.
Tu seras châtié de ta témérité.
– Sire, répond l'agneau, que Votre Majesté
Ne se mette pas en colère ;
Mais plutôt qu'elle considère
Que je m'en vas désaltérant dans le courant
Plus de vingt pas au-dessous d'elle,
Et que par conséquent, en aucune façon
Je ne puis troubler sa boisson.
– Tu la troubles, reprit cette bête cruelle ;
Et je sais que de moi, tu médis l'an passé.
– Comment l'aurais-je fait, si je n'étais pas né ?
Reprit l'agneau, je tette encore ma mère.
– Si ce n'est toi, c'est donc ton frère ?
– Je n'en ai point. – C'est donc quelqu'un des tiens
Car vous ne m'épargnez guère,
Vous, vos bergers et vos chiens.
On me l'a dit : il faut que je me venge. »
Là dessus, au fond des forêts
Le loup l'emporte et puis le mange,
Sans autre forme de procès.

La Fontaine, *Le loup et l'agneau* (livre premier, fable 10)

* * *

Compréhension du texte

1. Qu'est-ce que cette histoire veut prouver ?
2. Cette affirmation se situe-t-elle après l'histoire ou avant l'histoire ?
3. Quels sont les personnages et quels sont pour chacun leurs attributs ?
4. Pourquoi le loup avait-il faim ?
5. Que faisait l'agneau ?
6. Que lui reproche le loup ?
7. Sur quel ton l'agneau s'adresse-t-il au loup ?
8. Quels sont les arguments que donne l'agneau pour se disculper ?
9. Le loup est-il juste avec lui ?
10. À votre avis, La Fontaine a-t-il de bonnes raisons de raconter cette histoire ?

Enrichissement lexical

1. Donner le sens des mots suivants : une onde, un breuvage, la témérité, se désaltérer.
2. Quelle différence faites-vous entre médire et calomnier ?
3. Donnez quelques expressions qui contiennent le mot agneau et d'autres qui contiennent le mot loup ?

Sensibilisation grammaticale

1. Relevez dans ce texte une forme de subjonctif qui n'est pas amenée par un verbe principal.
   Écrivez deux phrases sur ce modèle.
2. Quel est le sens de si dans la phrase : Comment l'aurais-je fait si je n'étais pas né ?

Travail écrit (au choix)

1. « La raison du plus fort est toujours la meilleure » affirme la Fontaine. Êtes-vous de cet avis ? Donnez des exemples pris soit dans la vie quotidienne soit dans l'Histoire pour le justifier.
2. Inventez une autre fable avec d'autres personnages pour illustrer la même affirmation.

Travail oral

1. À votre façon, racontez l'histoire du loup et de l'agneau.

2. Apprenez cette fable par cœur et mimez-la avec trois personnages (le récitant, le loup, l'agneau).

Texte 44

Conte 1.
Le Petit Prince et le renard

Antoine de Saint-Exupéry (1900-1944) était un aviateur français qui a contribué à créer l'Aéropostale. La chute de son avion dans le désert où il manqua mourir fut pour lui une source d'inspiration et de réflexions que l'on retrouve dans plusieurs de ses ouvrages. L'épisode de la rencontre du renard et du petit Prince dans le désert est une des pages les plus connues de la littérature française.

* * *

C'est alors qu'apparut le renard.

– Bonjour, dit le renard.

– Bonjour, répondit poliment le petit prince, qui se retourna mais ne vit rien.

– Je suis là, dit la voix, sous le pommier…

– Qui es-tu ? dit le petit prince. Tu es bien joli…

– Je suis un renard, dit le renard.

– Viens jouer avec moi, lui proposa le petit prince. Je suis tellement triste…

– Je ne puis pas jouer avec toi, dit le renard. Je ne suis pas apprivoisé.

– Ah ! pardon, fit le petit prince.

Mais après réflexion, il ajouta :

– Qu'est-ce que signifie « apprivoiser » ?

– Tu n'es pas d'ici, dit le renard, que cherches-tu ?

– Je cherche les hommes, dit le petit prince. Qu'est-ce que signifie « apprivoiser » ?

– Les hommes, dit le renard, ils ont des fusils et ils chassent. C'est bien gênant ! Ils élèvent aussi des poules. C'est leur seul intérêt. Tu cherches des poules ?

– Non, dit le petit prince. Je cherche des amis. Qu'est-ce que signifie « apprivoiser » ?

– C'est une chose trop oubliée, dit le renard. Ça signifie « créer des liens… ».

– Créer des liens ?

– Bien sûr, dit le renard. Tu n'es encore pour moi qu'un petit garçon tout semblable à cent mille petits garçons. Et je n'ai pas besoin de toi. Et tu n'as pas besoin de moi non plus. Je ne suis pour toi qu'un renard semblable à cent mille renards. Mais, si tu m'apprivoises, nous aurons besoin l'un de l'autre. Tu seras pour moi unique au monde. Je serai pour toi unique au monde…

— Je commence à comprendre, dit le petit prince. Il y a une fleur… je crois qu'elle m'a apprivoisé…

— C'est possible, dit le renard. On voit sur la Terre toutes sortes de choses…

— Oh ce n'est pas sur la Terre, dit le petit prince.

Le renard parut très intrigué :

— Sur une autre planète ?

— Oui.

— Il y a des chasseurs, sur cette planète-là ?

— Non.

— Ça, c'est intéressant ! Et des poules ?

— Non.

— Rien n'est parfait, soupira le renard.

Mais le renard revint à son idée :

— Ma vie est monotone. Je chasse les poules, les hommes me chassent. Toutes les poules se ressemblent, et tous les hommes se ressemblent. Je m'ennuie donc un peu. Mais, si tu m'apprivoises, ma vie sera comme ensoleillée. Je connaîtrai un bruit de pas qui sera différent de tous les autres. Les autres pas me font rentrer sous terre. Le tien m'appellera hors du terrier, comme une musique. Et puis regarde ! Tu vois, là-bas, les champs de blé ? Je ne mange pas de pain. Le blé pour moi est inutile. Les champs de blé ne me rappellent rien. Et ça, c'est triste ! Mais tu as des cheveux couleur d'or. Alors ce sera merveilleux quand tu m'auras apprivoisé ! Le blé, qui est doré, me fera souvenir de toi. Et j'aimerai le bruit du vent dans le blé…

Le renard se tut et regarda longtemps le petit prince :

— S'il te plaît… apprivoise-moi ! dit-il.

— Je veux bien, répondit le petit prince, mais je n'ai pas beaucoup de temps. J'ai des amis à découvrir et beaucoup de choses à connaître.

— On ne connaît que les choses que l'on apprivoise, dit le renard. Les hommes n'ont plus le temps de rien connaître. Ils achètent des choses toutes faites chez les marchands. Mais comme il n'existe point de marchands d'amis, les hommes n'ont plus d'amis. Si tu veux un ami, apprivoise-moi !

— Que faut-il faire ? dit le petit prince.

— Il faut être très patient, répondit le renard. Tu t'assoiras d'abord un peu loin de moi, comme ça, dans l'herbe. Je te regarderai du coin de l'œil et tu ne diras rien. Je te regarderai du coin de l'œil et tu ne diras rien. Le langage est source de malentendus. Mais, chaque jour, tu pourras t'asseoir un peu plus près…

Le lendemain revint le petit prince.

– Il eût mieux valu revenir à la même heure, dit le renard. Si tu viens, par exemple, à quatre heures de l'après-midi, dès trois heures je commencerai d'être heureux. Plus l'heure avancera, plus je me sentirai heureux. À quatre heures, déjà, je m'agiterai et m'inquiéterai ; je découvrirai le prix du bonheur ! Mais si tu viens n'importe quand, je ne saurai jamais à quelle heure m'habiller le cœur… Il faut des rites.

– Qu'est-ce qu'un rite ? dit le petit prince.

– C'est aussi quelque chose de trop oublié, dit le renard. C'est ce qui fait qu'un jour est différent des autres jours, une heure, des autres heures. Il y a un rite, par exemple, chez mes chasseurs. Ils dansent le jeudi avec les filles du village. Alors le jeudi est jour merveilleux ! Je vais me promener jusqu'à la vigne. Si les chasseurs dansaient n'importe quand, les jours se ressembleraient tous, et je n'aurais point de vacances.

Ainsi le petit prince apprivoisa le renard. Et quand l'heure du départ fut proche :

– Ah ! dit le renard… Je pleurerai.

– C'est ta faute, dit le petit prince, je ne te souhaitais point de mal, mais tu as voulu que je t'apprivoise…

– Bien sûr, dit le renard.

– Mais tu vas pleurer ! dit le petit prince.

– Bien sûr, dit le renard.

– Alors tu n'y gagnes rien !

– J'y gagne, dit le renard, à cause de la couleur du blé.

Puis il ajouta :

– Va revoir les roses. Tu comprendras que la tienne est unique au monde. Tu reviendras me dire adieu, et je te ferai cadeau d'un secret.

Le petit prince s'en fut revoir les roses.

– Vous n'êtes pas du tout semblables à ma rose, vous n'êtes rien encore, leur dit-il. Personne ne vous a apprivoisées et vous n'avez apprivoisé personne. Vous êtes comme était mon renard. Ce n'était qu'un renard semblable à cent mille autres. Mais j'en ai fait mon ami, et il est maintenant unique au monde.

Et les roses étaient gênées.

– Vous êtes belles, mais vous êtes vides, leur dit-il encore. On ne peut pas mourir pour vous. Bien sûr, ma rose à moi, un passant ordinaire croirait qu'elle vous ressemble. Mais à elle seule elle est plus importante que vous toutes, puisque c'est elle que j'ai arrosée. Puisque c'est elle que j'ai mise sous globe. Puisque c'est elle que j'ai abritée par le paravent. Puisque c'est elle dont j'ai tué les chenilles (sauf les deux ou trois pour les papillons). Puisque c'est elle que j'ai écoutée se plaindre, ou se vanter, ou même quelquefois se taire. Puisque c'est ma rose.

Et il revint vers le renard :

– Adieu, dit-il…

– Adieu, dit le renard. Voici mon secret. Il est très simple : on ne voit bien qu'avec le cœur. L'essentiel est invisible pour les yeux.

– L'essentiel est invisible pour les yeux, répéta le petit prince, afin de se souvenir.

– C'est le temps que tu as perdu pour ta rose qui fait ta rose si importante.

– C'est le temps que j'ai perdu pour ma rose… fit le petit prince, afin de se souvenir.

– Les hommes ont oublié cette vérité, dit le renard. Mais tu ne dois pas l'oublier. Tu deviens responsable pour toujours de ce que tu as apprivoisé. Tu es responsable de ta rose…

– Je suis responsable de ma rose… répéta le petit prince, afin de se souvenir.

Antoine de Saint-Exupéry, *Le Petit Prince*, 1943 © Éditions Gallimard

* * *

Compréhension du texte

1. Qu'est-ce qui changera dans la vie du renard et du petit prince si le petit prince apprivoise le renard ?

2. Que devra faire le petit prince pour adopter le renard ?

3. Pourquoi devra-t-il ne rien dire ?

4. Pourquoi est-il important que le petit prince revienne chaque jour à la même heure ?

5. Qu'est-ce qu'un rite ?

6. Pourquoi la rose du petit prince est-elle pour lui unique au monde ?

7. Pourquoi les autres roses sont-elles « vides » pour le petit prince ?

8. Quel est le secret du renard ? Et qu'en pensez-vous ?

9. Qu'est-ce qui a fait que la rose du petit prince est devenue si importante pour lui ?

10. Que signifie la phrase : « Tu deviens responsable pour toujours de ce que tu as apprivoisé » ? Et qu'en pensez-vous ?

Enrichissement lexical

1. Trouver trois phrases dans lesquelles le mot lien sera employé.

2. Trouver trois expressions avec le mot rose.

Sensibilisation grammaticale

1. Révision du passé simple

Dans ce texte, c'est la succession des verbes au passé simple qui fait avancer le récit.

Complétez les phrases suivantes en mettant au passé simple les verbes entre parenthèses.

Il me (regarder) .... et (répondre) .... à ma pensée :

– J'ai soif aussi… cherchons un puits…

J' (avoir) .... un geste de lassitude : il est absurde de chercher un puits, au hasard, dans l'immensité du désert. Cependant nous (se mettre) .... en marche.

Quand nous eûmes marché, des heures, en silence, la nuit (tomber) ...., et les étoiles (commencer) .... à s'éclairer.

– Tu as donc soif, toi aussi ? lui (demander) ....-je.

Mais il ne (répondre) .... pas à ma question. Il me dit simplement :

– L'eau peut aussi être bonne pour le cœur…

Je ne (comprendre) .... pas sa réponse mais je (se taire) ....

(…) Il était fatigué. Il (s'asseoir) .... Je (s'asseoir) .... auprès de lui. Et, après un silence, il dit encore :

– Les étoiles sont belles, à cause d'une fleur que l'on ne voit pas…

Je (répondre) ....« bien sûr » et je (regarder) ...., sans parler, les plis du sable sous la lune.

2. Révision du futur simple ➡ futur antérieur

Alors ce sera merveilleux quand tu m'auras apprivoisé.

Sur ce modèle construisez trois phrases.

3. Révision du conditionnel passé 2ᵉ forme

Il eût mieux valu revenir à la même heure.

Remplacez le verbe par une autre forme du conditionnel.

Travail écrit

1. Commentez et justifiez par des exemples concrets une de ces trois phrases à votre choix :

« On ne connaît que les choses que l'on apprivoise, dit le renard. Les hommes n'ont plus le temps de rien connaître. »

« C'est le temps que tu as perdu pour ta rose qui fait ta rose si importante. »

… « On ne voit bien qu'avec le cœur. L'essentiel est invisible pour les yeux. »

2. Expliquez comment vous les comprenez.

Travail oral

1. Avez-vous dans votre vie des rites, des moments que vous retrouvez régulièrement et qui vous rendent la vie plus heureuse ?

2. Une famille a-t-elle des rites ? lesquels ?

3. Une nation (la France par exemple) a-t-elle des rites ? lesquels ? Racontez ceux que vous avez vus en direct ou à la télévision par exemple.

Texte 45
Conte 2

Dans le style alerte des Lettres de mon Moulin, *Alphonse Daudet écrit ce récit pour un ami Gringoire qui refusait de se stabiliser dans la vie, car il rêvait toujours de trouver quelque chose de mieux.*

Cette histoire est très connue en France où elle est racontée aux jeunes enfants.

* * *

(...) M. Seguin n'avait jamais eu de bonheur avec ses chèvres.

Il les perdait toutes de la même façon ; un beau matin, elles cassaient leur corde, s'en allaient dans la montagne, et là-haut le loup les mangeait. Ni les caresses de leur maître, ni la peur du loup, rien ne les retenait. C'étaient, paraît-il, des chèvres indépendantes, voulant à tout prix le grand air et la liberté.

Le brave M. Seguin, qui ne comprenait rien au caractère de ses bêtes, était consterné. Il disait :

« C'est fini ; les chèvres s'ennuient chez moi, je n'en garderai pas une. »

Cependant, il ne se découragea pas, et, après avoir perdu six chèvres de la même manière, il en acheta une septième ; seulement, cette fois, il eut soin de la prendre toute jeune, pour qu'elle s'habituât mieux à demeurer chez lui.

Ah ! qu'elle était jolie la petite chèvre de M. Seguin ! qu'elle était jolie avec ses yeux doux, sa barbiche de sous-officier, ses sabots noirs et luisants, ses cornes zébrées et ses longs poils blancs qui lui faisaient une houppelande ! C'était presque aussi charmant que le cabri d'Esméralda – tu te rappelles, Gringoire[1] ? – et puis, docile, caressante, se laissant traire sans bouger, sans mettre son pied dans l'écuelle. Un amour de petite chèvre…

M. Seguin avait derrière sa maison un clos entouré d'aubépines. C'est là qu'il mit la nouvelle pensionnaire. Il l'attacha à un pieu au plus bel endroit du pré, en ayant soin de lui laisser beaucoup de corde, et de temps en temps il venait voir si elle était bien. La chèvre se trouvait très heureuse et broutait l'herbe de si bon cœur que M. Seguin était ravi.

---

1. Allusion au roman de Victor Hugo : *Notre-Dame de Paris.*

« Enfin, pensait le pauvre homme, en voilà une qui ne s'ennuiera pas chez moi ! »

M. Seguin se trompait, sa chèvre s'ennuya.

Un jour, elle se dit en regardant la montagne :

« Comme on doit être bien là-haut ! Quel plaisir de gambader dans la bruyère, sans cette maudite longe qui vous écorche le cou !.. C'est bon pour l'âne ou le bœuf de brouter dans un clos !... Les chèvres, il leur faut du large. »

À partir de ce moment, l'herbe du clos lui parut fade. L'ennui lui vint. Elle maigrit, son lait se fit rare. C'était pitié de la voir tirer tout le jour sur sa longe, la tête tournée du côté de la montagne, la narine ouverte, en faisant *Mé* !.. tristement.

M. Seguin s'apercevait bien que sa chèvre avait quelque chose, mais il ne savait pas ce que c'était...

Un matin, comme il achevait de la traire, la chèvre se retourna et lui dit dans son patois :

« Écoutez, monsieur Seguin, je me languis chez vous, laissez-moi aller dans la montagne.

– Ah ! mon Dieu !... Elle aussi ! » cria M. Seguin stupéfait, et du coup il laissa tomber son écuelle ; puis, s'asseyant dans l'herbe à côté de sa chèvre :

« Comment, Blanquette, tu veux me quitter ! »

Et Blanquette répondit :

« Oui, monsieur Seguin.

– Est-ce que l'herbe te manque ici ?

– Oh ! non, monsieur Seguin.

– Tu es peut-être attachée de trop court. Veux-tu que j'allonge la corde ?

– Ce n'est pas la peine, monsieur Seguin.

– Alors, qu'est-ce qu'il te faut ? qu'est-ce que tu veux ?

– Je veux aller dans la montagne, monsieur Seguin.

– Mais, malheureuse, tu ne sais pas qu'il y a le loup dans la montagne... Que feras-tu quand il viendra ?...

– Je lui donnerai des coups de corne, monsieur Seguin.

– Le loup se moque bien de tes cornes. Il m'a mangé des biques autrement encornées que toi... Tu sais bien, la pauvre vieille Renaude qui était ici l'an dernier ? Une maîtresse chèvre, forte et méchante comme un bouc. Elle s'est battue avec le loup toute la nuit... puis, le matin, le loup l'a mangée.

– Pécaïre[2] ! Pauvre Renaude !.. Ça ne fait rien, monsieur Seguin, laissez-moi aller dans la montagne.

– Bonté divine !.. dit M. Seguin ; mais qu'est-ce qu'on leur fait donc à mes chèvres ? Encore une que le loup va me manger… Eh bien, non… je te sauverai malgré toi, coquine ! et de peur que tu ne rompes ta corde, je vais t'enfermer dans l'étable, et tu y resteras toujours. »

Là-dessus, M. Seguin emporta la chèvre dans une étable toute noire, dont il ferma la porte à double tour. Malheureusement, il avait oublié la fenêtre, et à peine eut-il le dos tourné, que la petite s'en alla…

Tu ris, Gringoire ? Parbleu ! je crois bien ; tu es du parti des chèvres, toi, contre ce bon M. Seguin…

Nous allons voir si tu riras tout à l'heure.

Quand la chèvre blanche arriva dans la montagne, ce fut un ravissement général. Jamais les vieux sapins n'avaient rien vu d'aussi joli. On la reçut comme une petite reine. Les châtaigniers se baissaient jusqu'à terre pour la caresser du bout de leurs branches. Les genêts d'or s'ouvraient sur son passage, et sentaient bon tant qu'ils pouvaient. Toute la montagne lui fit fête.

Tu penses, Gringoire, si notre chèvre était heureuse ! Plus de corde, plus de pieu… rien qui l'empêchât de gambader, de brouter à sa guise… C'est là qu'il y en avait de l'herbe ! jusque par-dessus les cornes, mon cher !.. Et quelle herbe ! Savoureuse, fine, dentelée, faite de mille plantes… C'était bien autre chose que le gazon du clos. Et les fleurs donc !.. De grandes campanules bleues, des digitales de pourpre à longs calices, toute une forêt de fleurs sauvages débordant de succs capiteux !..

(…)

C'est qu'elle n'avait peur de rien, la Blanquette.

Elle franchissait d'un saut de grands torrents qui l'éclaboussaient au passage de poussière humide et d'écume. Alors, toute ruisselante, elle allait s'étendre sur quelque roche plate et se faisait sécher par le soleil… Une fois, s'avançant au bord d'un plateau, une fleur de cytise aux dents, elle aperçut en bas, tout en bas dans la plaine, la maison de M. Seguin avec le clos derrière. Cela la fit rire aux larmes.

« Que c'est petit ! dit-elle ; comment ai-je pu tenir là-dedans ? »

Pauvrette ! de se voir si haut perchée, elle se croyait au moins aussi grande que le monde…

En somme, ce fut une bonne journée pour la chèvre de M. Seguin. Vers le milieu du jour, en courant de droite et de gauche, elle tomba dans une troupe de chamois en train

_____

2. Exclamation provençale.

de croquer une lambrusque[3] à belles dents. Notre petite coureuse en robe blanche fit sensation. On lui donna la meilleure place à la lambrusque, et tous ces messieurs furent très galants… Il paraît même – ceci doit rester entre nous, Gringoire – qu'un jeune chamois à pelage noir eut la bonne fortune de plaire à Blanquette. Les deux amoureux s'égarèrent parmi le bois une heure ou deux, et si tu veux savoir ce qu'ils dirent, va le demander aux sources bavardes qui courent invisibles dans la mousse.

Tout à coup le vent fraîchit. La montagne devint violette ; c'était le soir…

« Déjà ! » dit la petite chèvre, et elle s'arrêta fort étonnée.

En bas, les champs étaient noyés de brume. Le clos de M. Seguin disparaissait dans le brouillard, et de la maisonnette on ne voyait plus que le toit avec un peu de fumée. Elle écouta les clochettes d'un troupeau qu'on ramenait, et se sentit l'âme toute triste… Un gerfaut, qui rentrait, la frôla de ses ailes en passant. Elle tressaillit… puis ce fut un hurlement dans la montagne :

« Hou ! hou ! »

Elle pensa au loup, de tout le jour la folle n'y avait pas pensé… Au même moment une trompe sonna bien loin dans la vallée. C'était ce bon M. Seguin qui tentait un dernier effort.

« Hou ! hou !… faisait le loup.

– Reviens ! reviens !.. » criait la trompe.

Blanquette eut envie de revenir ; mais en se rappelant le pieu, la corde, la haie du clos, elle pensa que maintenant elle ne pouvait plus se faire à cette vie, et qu'il valait mieux rester.

La trompe ne sonnait plus…

La chèvre entendit derrière elle un bruit de feuilles. Elle se retourna et vit dans l'ombre deux oreilles courtes, toutes droites, avec deux yeux qui reluisaient… C'était le loup.

Énorme, immobile, assis sur son train de derrière, il était là regardant la petite chèvre blanche et la dégustant par avance. Comme il savait bien qu'il la mangerait, le loup ne se pressait pas ; seulement, quand elle se retourna, il se mit à rire méchamment.

« Ha ! ha ! la petite chèvre de M. Seguin » ; et il passa sa grosse langue rouge sur ses babines d'amadou.

Blanquette se sentit perdue… Un moment, en se rappelant l'histoire de la vieille Renaude, qui s'était battue toute la nuit pour être mangée le matin, elle se dit qu'il vaudrait peut-être mieux se laisser manger tout de suite ; puis, s'étant ravisée, elle tomba en garde, la tête basse et la corne en avant, comme une brave chèvre de M. Seguin qu'elle était… Non pas qu'elle eût l'espoir de tuer le loup – les chèvres ne tuent pas le loup – mais seulement pour voir si elle pourrait tenir aussi longtemps que la Renaude…

---

3. Arbuste méditerranéen, sorte de vigne sauvage.

Alors le monstre s'avança, et les petites cornes entrèrent en danse.

Ah! la brave petite chevrette, comme elle y allait de bon cœur! Plus de dix fois, je ne mens pas, Gringoire, elle força le loup à reculer pour reprendre haleine. Pendant ces trêves d'une minute, la gourmande cueillait en hâte encore un brin de sa chère herbe; puis elle retournait au combat, la bouche pleine… Cela dura toute la nuit. De temps en temps la chèvre de M. Seguin regardait les étoiles danser dans le ciel clair, et elle se disait:
« Oh! pourvu que je tienne jusqu'à l'aube… »

L'une après l'autre, les étoiles s'éteignirent. Blanquette redoubla de coups de cornes, le loup de coups de dents… Une lueur pâle parut dans l'horizon… Le chant du coq enroué monta d'une métairie.

« Enfin! » dit la pauvre bête, qui n'attendait plus que le jour pour mourir; et elle s'allongea par terre dans sa belle fourrure blanche toute tachée de sang…

Alors le loup se jeta sur la petite chèvre et la mangea. (…)

Alphonse Daudet. *Les Lettres de mon Moulin. La chèvre de M. Seguin*

* * *

Compréhension du texte

1. Pourquoi les chèvres de M. Seguin voulaient-elles toutes partir dans la montagne?
2. Comment Blanquette s'est-elle sauvée dans la montagne?
3. Qu'est-il arrivé à la vieille Renaude?
4. Que s'est-il passé quand Blanquette est arrivée dans la montagne? Racontez ses différentes découvertes et aventures.
5. L'arrivée de la nuit lui fait-elle peur? À quels signes la perçoit-elle?
6. Pourquoi ne revient-elle pas lorsque M. Seguin fait sonner sa trompe pour la rappeler?
7. Comment perçoit-elle progressivement le loup?
8. Pourquoi tient-elle absolument à se battre jusqu'à l'aube?
9. Comment observe-t-elle la fin de la nuit et l'arrivée du jour?
10. Que fait la chèvre de M. Seguin à l'aube de ce nouveau jour?

Enrichissement lexical

1. Expliquer les mots et les expressions: une houppelande, un gerfaut, des babines d'amadou, une métairie.
2. Expliquez: …les fleurs sauvages débordant de sucs capiteux!
   …ces messieurs furent très galants…

3. Expliquez les verbes ou les expressions verbales suivantes : languir (se languir), brouter à sa guise, se raviser, reprendre haleine.

Sensibilisation grammaticale

1. Non pas qu'elle eût l'espoir de tuer le loup – les chèvres ne tuent pas le loup – mais seulement pour voir si elle pourrait tenir aussi longtemps que la Renaude…

Que signifie ce non pas… suivi du subjonctif ?

2. Par quel procédé stylistique Daudet nous fait-il comprendre la terreur que lui inspire la vision du loup ?

Travail écrit (au choix)

1. Blanquette voulait coûte que coûte sa liberté au péril de sa vie.

Doit-on, pour trouver sa liberté, se battre jusqu'à la mort ? Connaissez-vous des personnes, qui l'ont fait pour défendre des causes ?

2. Liberté et solitude.

3. À quel moment de la vie les enfants doivent-ils prendre leur liberté vis-à-vis des parents ?

Travail oral (au choix)

1. Racontez cette histoire à votre façon.

2. Un proverbe français dit : « L'herbe est toujours plus verte dans le champ d'à-côté. » Comment comprenez-vous cette phrase et qu'en pensez-vous ?